JN094369

日本民族抹殺計画

やつらは「金」を狙っている！

船瀬俊介
Shunsuke Funase

ビジネス社

プロローグ　美しい緑の列島！〝闇勢力〟の呰にするな

〝やつら〟は日本の「金」を狙っている？

◉日本海底に含有率四〇％金鉱脈⁉

「……かれらは日本の『金』を狙ってるんだよ」

K氏は、はっきり言った。

わたしは思わず聞き返す。

——日本の『金』とは？

彼はさらに顔を近づけ、ささやいた。

「佐渡の金山があったでしょ。海底には、さらに『金』が眠ってるんだよ」

——へぇ、それって初耳だ。いったいどれくらい？

「含有率四〇％だよ！」

これには、思わず笑ってしまった。

――だったら、一〇トン掘ったら四トン金じゃない（笑）。

「そうだよ。〝闇の連中〟は、それを狙ってるんだ」

〝闇の連中〟とは、世界を裏から支配している勢力のことだ。

事情通はそれをディープステート（ＤＳ）と呼ぶ。

間近ではアメリカ大統領選で不正を行い、トランプから大統領職を奪った連中だ。

さらに９・11同時多発〝テロ〟や、３・11東日本大震災などを仕掛けた悪魔勢力だ。

現在、世界は、この〝闇の勢力〟と〝光の勢力〟が真っ向から対立している。

Ｋ氏は日系アメリカ人。アメリカＶＩＰの動向にも深く通じている。

しかし、金鉱脈の含有率四〇％など信じられない。通常はゼロ・コンマ以下の含有率と言われている。トン単位で掘って何グラム……が常識だ。

にわかに信じがたい。まさにコントのような笑い話として、受けとめた。

ところが、別のＩ氏にその話をすると意外な返答が……。

「……ありえますね」

彼は興味深い情報を教えてくれた。

「㈱住友金属鉱山が金鉱山を運営しています。その内部資料に『金含有率三六％』と書いてありましたよ」

耳を疑った。ならK氏のいう含有率四〇％もありえない話ではない。

「……日本の金鉱脈は他に比べて一〇〇倍以上、含有率が高いそうです」

わたしの脳裏に〝黄金の国ジパング〟という言葉がよぎった。伝説は、真実だったのか……。

◉列島の地下に金〝精錬〟工場！

わたしは、その理由を深く熟考した。

極東の島国、日本――。その地下には四つの大陸プレートが押し合っている。

「太平洋プレート」「北米プレート」「ユーラシアプレート」「フィリピンプレート」……。大陸プレートは地球の地殻を構成している。地下から押され、互いに押し合い、一方が他方の下に潜り込む。これが〝プレート・テクトニクス〟理論だ。

そして日本の地下では、四層もの異なるプレートが押し合い、凌《しの》ぎ合い、重なっている。

世界でもこのような地殻構造は日本だけだ。

プレートとプレートが衝突する箇所は、強い圧力で鉱物は溶けてマグマ（溶岩）となる。

そして、マグマは上昇して冷えて固まる。そのとき含まれるさまざまな元素は、互いに引きつけ合って一か所に凝固する。金鉱脈も同様に形成される。

日本列島の地下には、四層プレートによる〝天然の精錬工場〟が存在するようなものだ。

むろん、工場による精錬と自然現象では、その精度など雲泥の差だろう。

しかし、溶けた鉱物から、特定の金属が抽出するという原理は同じだ。

「金」は一グラム三万円まで爆騰する……？

◉価格は四年で二倍強の値上がり

なるほど……。得心がいった。〝やつら〟は、日本の「金」に目をつけたのか？

近年、「金」が暴騰している。二〇一九年、一グラム五〇〇〇円が、二〇二三年一二月時点で一万円超。四年で二倍強の値上がりだ（田中貴金属調べ）。

その背景には、ドル石油体制の崩壊がある。

一九七一年、ニクソン・ショック以来、大国アメリカはドルと「金」の交換を停止している。

つまりドルは兌換《だかん》紙幣から不換紙幣となった。

わたしは、これを「ドルのトイレットペーパー宣言」と呼んでいる。

「金」の裏打ちのない紙幣は、トイレットペーパーと同じだ。

しかしアメリカは「軍事力」で〝裏打ち〟した。

そして中東諸国に「石油取引は、ドル以外でするな」と命じたのだ。

いったい何の権限があって……!

アラブ諸国は、呆れ果て自国通貨で取引した。するとアメリカはこれらの国々に軍事攻撃を強行したのだ。こうしてイラク、リビア、クウェート、アフガニスタンなどが米軍に軍事占領された。イラクのサダム・フセインは縛り首。リビアのカダフィはなぶり殺し。

ヤクザですら震え上がるアメリカの蛮行だ。

こうした軍事力によって、ドルは強引に〝担保〟されてきたのだ。

しかし、奢《おご》るアメリカも久しからず。財政破綻したアメリカに往時の勢いはない。

それは欧州も同じ。欧米の没落に反比例して、BRICS諸国が急速に台頭してきた。

これらはブラジル、ロシア、インド、中国、南アフリカの意味だ。

二〇二三年、そこにアフリカ連合、アラブ同盟、東南アジア各国……など第三世界の国々が次々に支援・参加を表明している。そして見る間に広大な経済圏を形成したのだ。

これが〝グローバル・サウス〟(第三世界経済圏)。

そのスタンスは反ドル、反欧米と明解だ。二〇二三年八月二五日、南アフリカのヨハネスブルクで代表者会議が開催され、BRICS新通貨が発表された。それは「金本位制」になるという。

トランプ前大統領は大統領選時、大規模な金融改革を訴えてきた。

それが「ネサラ」（国内金融改革）と「ゲサラ」（国際金融改革）だ。
この新通貨構想は「ゲサラ」に相当する。
その根幹は軍事力による威嚇ではない。「金」の担保力で通貨を発行する。
すでにＢＲＩＣＳの一翼ロシアは「ルーブルを金本位制とする」と公表している。
そのためウクライナ戦争中なのにルーブル価格は二倍以上に跳ね上がっている。

◉〝売り時〟ではなく〝買い時〟

Ｇ７の凋落、ＢＲＩＣＳの台頭――。
それは世界の通貨を根底から変えてしまう。つまりは金本位制の復活だ。
そしてＢＲＩＣＳ連合に世界の約八割の国々が賛同している。
世界の通貨制度が金本位制になだれを打つということだ。
ということは、少なくとも八割の国々が先を争って「金」を求めることを意味する。
これでは、「金」が四年で二倍に高騰したのもうなずける。
だから「金」は上がることはあっても、下がることはない。
評論家の副島隆彦氏は、「『金』は三万円までいく」と断言している。
「『金』史上最高の高値！」「今が売り時……！」

新聞、テレビは連日、あおっている。しかし他方で街角には「『金』買い取ります」の店が軒並みオープン。つまり「金」は今、〝売り時〟ではなく〝買い時〟なのだ。

――以上、「金」をめぐる情勢を分析してみた。

「金」こそは人類史を通じて、まさに「資産の王者」なのだ。

◉先住民を駆除し列島を我が物に

DSが日本の地下に眠る「金」鉱脈に狙いを定めるのも当然だ。

そこで〝やつら〟にとって最大の邪魔者が存在する。

それが列島に住んでいる〝先住民〟である。そう、あなたとわたし、日本人だ。

北米、南米、豪州、アフリカ……。〝やつら〟は四つの大陸の邪魔な先住民を〝駆除〟してきた。それも情け容赦のない残虐な方法で……(第2章参照)。

五番目に〝かれら〟がロックオンしたのが、この日本列島である。

現在の科学技術なら人工衛星などからも、地下の資源を探査できるという。すでに大国が極秘所有している「気象兵器」(HAARP)も地下資源の探査機能が備わっている。

だから上空から〝かれら〟は日本列島をスキャンして、どこにどれだけ資源が眠っているかを調べ尽くしているはずだ。

情報提供者は「日本の地下の金鉱脈の含有率は世界平均の一〇〇倍以上」という。

まさに悪魔勢力にとっては垂涎《すいぜん》の黄金列島なのだ。

「ブタは太らせてから食え！」日本解体が始まった

◉裏の「特別会計」喰い放題

アメリカに次のような諺《ことわざ》がある。

「――ブタは太らせてから食え！」

じつにわかりやすい。まさに〝かれら〟にとって、それは日本なのだ。

戦後の焼け跡……。当時、日本はまさにやせ細った〝子豚〟にすぎなかった。

しかし経済成長を経て、丸々と太った巨豚に変貌した。

まさに食いごろ……。アメリカは、ここぞとばかりに喰いまくった。

それが失われた三〇年なのだ。日本は経済成長どころか、株価もＧＤＰも賃金も右肩さがり。

それも当然だ。影の〝宗主国〟アメリカに喰い散らされているからだ。

すでに美味しいところは食い荒らされて、残るは豚骨くらい……という有様だ。

予算のブン盗りも露骨だ。日本人の多くは、国家予算は一〇〇兆円だと思っている。

しかし、じっさいは五〇〇兆円近い。残り四〇〇兆円弱は特別会計と呼ばれる。

はやくいえば、〝裏会計〟だ。恐るべきは、日本人は総額も使途も誰も知らない。

国会議員ですらチェックできない。まさに国家予算の八割近くが〝使途不明〟なのだ。

内閣も国会も、それをいっさい調べることすらできない。

はたして、これで日本は独立国家といえるのか？

この特別会計の〝闇〟に挑んだ政治家がいる。石井紘基《こうき》議員（旧民主党）。

彼は特別会計の使途を徹底調査、それは段ボール二〇〇箱に及んだ。それを元に国会質問を行う予定だった。しかし二〇〇二年一〇月、その三日前に自宅玄関前で、暴漢に惨殺された。

特別会計を調べることは許さない……という〝闇の勢力〟からの脅しと警告だった。

しかし国家予算の（推定）四〇〇兆円弱が〝使途不明〟というのも、恐ろしい話だ。

そして日本人の九九％が、この裏金の存在すら知らない。これもまた恐ろしい話だ。

わたしの心ある知人は、笑いながら冗談めかして言った。

「……アメリカが、半分くらい食っちゃってんじゃないの？」

真実はわからない。しかし当たらずといえども遠からずではないのか。

◉持ってけ！　日本マグロ解体ショー

現在の日本は、まるでマグロ解体ショーのような様相を呈している。

経済、農業、漁業、森林、水道、種子……。

国の根幹ともなる産業が、〝民営化〟の名の元に叩き売られている。

小泉純一郎政権の大店法改悪で、零細商店は壊滅した。

労働者派遣法改悪で非正規社員が巷《ちまた》にあふれた。

農地法改悪は家族農家を否定し、農業を企業に売り渡すものだ。

漁業法も改悪され、漁業権を漁民から奪う狙いだ。

森林法改悪で、外国企業ですら無制限に森林を略奪できるようになった。

水道法改悪も狙われている。

〝闇の勢力〟は日本の水資源を奪い取る。

種子法・種苗法の改悪は、生命の根幹である食料を悪魔勢力に譲り渡す。

アメリカは建国以来、国際秘密結社〝フリーメイソン〟が支配する傀儡《かいらい》国家だ。

そのアメリカが支配する日本は、まさに傀儡国家の傀儡なのだ。

だから悪魔勢力〝イルミナティ〟〝フリーメイソン〟ら〝ＤＳ〟が徹頭徹尾、完全支配している。

そして――。

戦後、丸々としたマグロの解体ショーが繰り広げられている。

そこに国内外の金蠅《きんばえ》、銀蠅《ぎんばえ》がたかって、醜悪な盗人たちの狂宴が繰り広げられている。

戦後八〇年、いまだ日本はアメリカ奴隷国家

◉属国の証、日米合同委員会

「この国のサルたちを永遠に支配する」

第二次大戦後、こう広言したのが米大統領トルーマンだ。

「セックス、スポーツ、スクリーンの3S政策で、ふ抜けにして生涯搾取する。それは戦勝国の特権である」と言ってのけた。

一九五一年サンフランシスコ講和条約で、日本は独立を果したと学校では教えている。

しかし、そうではない。

日米安保条約で、日本は強大なアメリカ軍に〝占領〟されたままだ。

アメリカ軍の銃口は、千代田区（霞ヶ関と皇居）に向けられているのだ。

その証拠に日本の国会、内閣にはいかなる自己決定権もない。

民主党政権が発足した当時の鳩山由紀夫首相は、驚きのホンネを漏らしている。

「……総理大臣になって初めて『日米合同委員会』なるものの存在を知った。日本の政策のすべては、ここで決められていた。国会、内閣にはなんの権限もなかった」

首相に就任して知ったくらいだから、日本人の九九・九％は日米合同委員会の名前すら知らない。これは東京の山王ホテルで月二回開催される極秘会議で非公開。議事録も公表されない。

参加するのは在日米軍の将官クラス。日本側からは外務省北米局長が出席。

アメリカ側は「ああしろ」「こうしろ」と命令する。

日本側は、それを必死で聞き取るだけ。反論はいっさい許されない

これが日本の〝政策〟となる。日本は独立国家ではない。完全にアメリカ属国なのだ。

米軍トップ命令に絶対服従。だから、ある意味、日本は今も軍事独裁国家である。

同じ敗戦国ドイツ、イタリアには、このようなアメリカ秘密統治機関は存在しない。

あるとすれば「重大な内政干渉だ！」と国民の間から猛烈抗議が噴出するだろう。

日本は抗議するどころか、闇支配する日米合同委員会の存在すら国民はまったく知らない。

日本人は〝平和〟な、〝お花畑〟の住民である。

◉投票箱はゴミ箱、投票用紙は紙クズ

戦後日本は選挙もデタラメだ。

日本の選挙は、すべて㈱ムサシという会社が統括している。

それが日本の選挙全体を管理してきたのだ。これだけでも、その公正さは担保できない。

それどころか二〇〇六年、選挙集計コンピュータに〝裏口（バックドア）〟が判明。つまりパスワードさえあれば、パソコン一台で日本の選挙結果を自由自在に操作できるし、じっさいに操作されてきた。

二〇一二年、衆院選に未来の党が「反消費税」「反原発」を掲げ、六一人の議員を立候補させた。投票日当日、ロイター通信が出口調査していた。二万四五五名の聞き取り調査。

そこでは自民党に投票した人は九％。未来の党はなんと七二％……自民の八倍も得票している。

しかし、その夜八時の開票速報は「自民大躍進、安倍政権単独過半数」。

これには呆れはてる。そして未来の党は六一人中五二人が落選……。

つまり——**投票箱はゴミ箱、投票用紙は紙クズ**——なのだ。

都知事選も同じ。猪瀬直樹知事の退任の後、舛添要一が立候補。下馬評どおり、知事に就任したが、問題は得票数だ。なんと全選挙区で舛添の得票数は、すべて前職、猪瀬の得票数の四

四%。これは絶対に偶然ではありえない。

結論は、こうだ。都知事選もコンピュータ操作が行われている。

担当者がうっかり四四%と入力したため、ズラリ同数になってしまったというわけだ。

この国は、真の独立国家ではない。それをあなたは、まず知るべきだ。

〝やつら〟は日本を最後の砦にするつもりか

◉エネルギー危機、超インフレ

二〇二〇年以降――。世界は激動に突入した。
①米大統領不正選挙②ウクライナ戦争③コロナ偽パンデミック④イスラエル・ガザ戦争。特筆すべきはＢＲＩＣＳの急激な台頭だ。
それに反比例してＧ７が急速に凋落している。

欧米諸国は大航海時代からの約五〇〇年間、北米、南米、豪州、アフリカ、アジア……有色人種の国々を侵略、植民地支配してきた。

それに対する恨みと怒りが爆発したのだ。

とりわけ二〇二三年、第三世界の爆発的な結束には目をみはる。

――もう、「白い悪魔」たちにはだまされない、盗まれない。

加えて〝闇勢力〟はプーチンをウクライナ戦争に引きずり込んで、ロシアの弱体を謀《はか》った。

しかし欧米のウクライナ侵攻を口実にしたロシア制裁の企みは頓挫《とんざ》した。

皮肉なことに、逆に欧米はロシアからの石油、天然ガスが途絶え、深刻なエネルギー危機に陥った。加えて絶望的なインフレにあえいでいる。

欧州とアメリカの崩壊は、いまやカウントダウンとなっている。

◉欧米を見限り日本列島へ避難？

欧米を拠り所にしていた悪魔勢力は、危機感を強めている。

欧米共に各国は政情不安、経済破綻、暴動頻発に見舞われている。

そこで〝やつら〟は緊急避難先として、極東の島国日本に目をつけた。

なんとＮＡＴＯの事務局を日本に設置するという。

北大西洋条約機構を日本に移してどうする？

ＣＤＣ（米疾病予防センター）も日本に事務所を設置！

この組織もコロナ偽パンデミックを拡散した極悪組織だ。本国にいられなくなって日本に逃げてくるつもりか？　さらにＷＨＯ（世界保健機関）も日本に避難して来そうだ。

欧米崩壊という危機状況で尻に火がついた悪魔勢力が日本に逃げてくる――という図式だ。

つまり、美しい我らの列島を〝闇勢力〟は最後の砦《とりで》に立て籠《こ》もろうとしている。

司令本部は、さしずめ、軽井沢にそびえるビル・ゲイツ別荘ならぬ〝地下要塞〟になりそう!?

いやはや……。これは、もはや悪夢というしかない。

〝やつら〟が先住民である日本民族を駆除して列島を支配する。

そうすれば、地下に眠る「金」はまるまる彼らのものとなる。

まさに悪魔勢力にとって一挙両得。その満悦の舌つづみが聞こえてくる。

――つまり①北米インディアン、②南米インディオ、③豪州アボリジニ、④アフリカ黒人……、彼らを襲った残虐無比な受難が、今度はわれわれに降りかかることになる。

……まさに、戦慄《せんりつ》の悪夢だ。

それは絶対に許してはならない。

そのためには、まず真実を知ることだ。

そして声をかけあい、互いに伝えあおう。

目覚めと気付きが日本を救うのだ。

さあ！　ページをくってほしい。

愛する人々とともに、平和に生き続けるために……。

第4章 「殺す気」満々……コロナ・ワクチン打ちまくり
――ｍＲＮＡワクチンの正体は、大量殺人兵器である

第5章　「世界の毒」ゴミ捨て場！　農薬、添加物、抗ガン剤 ――発達障害、自殺、暴力、発ガン、危ない人が急増中……

第6章　日本列島マグロ〝解体ショー〟！　さあ切りとり放題
――大企業、農業、種子、漁業、森林、水道……盗人たちの狂宴

第7章　トヨタ、日産、ホンダ、日本メーカーEVボロ負けの深刻
——日本の大企業は〝ハイジャック〟され、〝工作員〟だらけ？

第8章　ＢＲＩＣＳ台頭！　世界の八割が白人支配に反撃開始

――南米、ロシア、インド、中国、アジアが結束

第9章　追い詰められた〝闇勢力〟は日本を最後の〝砦〟にする
――NATO、G7、CDC……みんな日本に逃げて来る

第1章

異教徒は獣《ゴイム》だ！奪い尽くせ、殺し尽くせ

――〝やつら〟こそ白い皮を被った「悪魔」である

「神」は騙《だま》す、奪う、殺すことを許している

◉敵は〝ヒューマン・アニマル〟だ
――異教徒は〝ゴイム（獣）〟である――

これがユダヤ教の根本教義である。

つまりは「ユダヤ教徒以外は人間ではない」。獣と同じなのだ。

だから、いくら騙しても、奪っても、殺してもかまわない。良心は、みじんも痛まない。野

生動物を殺すのと、まったく変わらないからだ。それは今も同じだ。

二〇二四年二月パレスチナのガザ地区で、イスラエル軍による無残な攻撃が続いている。五日、イスラエル軍は「南部を含むすべての地域で空爆を実施した」と発表。すでにパレスチナ市民二万数千人が爆撃などで犠牲になっている。そのうち半数以上は子どもたちという。いたいけな子どもたちを虐殺しても、まったく心は痛まない。

イスラエル首脳は公言した。

「……われわれは〝ヒューマン・アニマル〟と戦っている」

パレスチナ人は〝ヒューマン・アニマル〟……!?

つまり「人間の姿をした動物にすぎない」と断言している。

戦慄するとは、このことだ。

ユダヤ教の根本思想——**異教徒は〝ゴイム（獣）〟**——がはっきり言い放たれたのだ。

イスラエルは、本気でガザ地区に住む二〇〇万余のパレスチナ人を皆殺しにするつもりだ。

なぜ、そのような悪魔的な残虐非道を行えるのか？

その根本元凶こそが——**異教徒は獣**——と断定する独善的な選民思想なのだ。

この他者蔑視の選民思想の根は深い。

ユダヤ人は、古代はヘブライ人と呼ばれていた。

異教徒の蔑視、弾圧のルーツは、あのモーゼの「十戒」にまでさかのぼる。

◉「殺すな」「盗むな」「だますな」

モーゼとは「……前一三世紀ごろのイスラエル民族の指導者。旧約聖書『出エジプト記』（エクソダス）によれば、神の啓示によりイスラエル民族を率いてエジプトを脱出し、神〝ヤハウェー〟との契約により『十戒』を授けられ、四〇年間アラビアの荒野をさまよったのち、約束の地カナンに到達した」（『ウィキペディア』）

ヘブライ人は、三〇〇〇年余、エジプトでピラミッド建設などに奴隷として酷使されていた。モーゼは、彼らに対して「祖国カナンの地に戻ろう」と脱出を呼びかけたのだ。

数多くのヘブライ人たちが、それにしたがったとされる。そのエジプト脱出にさいして、モーゼの祈りにより目前の紅海が二つに割れた……というエピソードはあまりに有名だ。

モーゼの「十戒」は、シナイ山で絶対神〝ヤハウェー〟がイスラエルの民に授けたとされる一〇の戒めだ。それはユダヤ教、キリスト教の根本原理とされる。

その内容は——。

（1）主〝ヤハウェー〟が唯一神。

(2) 偶像を、作ってはならない。
(3) 神の名をみだりに唱えるな。
(4) 安息日を守らねばならない。
(5) 父母を、敬わねばならない。
(6) 殺人の禁止（汝殺すなかれ）。
(7) 淫行の禁止（姦淫をするな）。
(8) 窃盗の禁止（汝盗むなかれ）。
(9) 詐欺の禁止（人をだますな）。
(10) 他人の土地財産を奪うな。

◉モーゼ「十戒」を自ら破る大罪

モーゼに率いられたヘブライ人たちは、苦難の果てに約束の地カナンにたどり着く。

しかし、いうまでもなく、その土地には、すでに他の人々が住んでいる。

「お前たち出て行け！」

ヘブライ人は躊躇《ためら》いなく通告した。

「どうしてだ？」

先住民たちは驚いて聞き返す。

「俺たちの先祖アブラハムが住んでたんだ」

「それは、いつごろだ？」

「……三〇〇〇年前だ」

住民たちはあきれ果てる。

「そんな昔では話にならんよ」

「……うるさい！　神が俺たちに授けた土地だ。今すぐ出て行け」

「むちゃくちゃ言うな！」

当然、彼らは怒り、反発する。

「……そうか。なら皆殺しだ」

それから先は阿鼻叫喚《あびきょうかん》――。殺戮《さつりく》地獄が繰り広げられた。

こうして異民族を一掃して、古代イスラエル王国は建設されたのである。

モーゼは「十戒」で戒めた。

「殺すなかれ」「盗むなかれ」「騙すなかれ」「他人の土地、財産を奪ってはならない」。

イスラエル人は、これら戒めを、すべて真っ向から破り、犯している。

これらの戒律を完全に犯している。それをとがめると、〝かれら〟は平然と答える。

「『十戒』は同胞ユダヤ人に対しての訓戒だ」「異教徒には適用されない」

……「なぜなら奴らは〝ゴイム（獣）〟だから」

この……目の眩《くら》む詭弁《きべん》と論法は、現在のイスラエルでも、そのまま強弁されている。

だからイスラエル首脳は、ガザ地区のパレスチナ人を〝ヒューマン・アニマル〟と呼び捨て、「皆殺しにする」と宣告したのだ。

「三〇〇〇年前に住んでた土地から出て行け！」

◉パレスチナ人を戦車で殺戮《さつりく》、追放

まさに歴史は繰り返す。モーゼが引き連れたヘブライ人は、カナンの地に住んでいた先住民たちを「我々は三〇〇〇年前に住んでいたから、出て行け！」と追放した。

第二次大戦後、世界に散らばっていたユダヤ人たちは「カナンの地にイスラエルを建国しよう！」と参集してきた。これがシオニズム（祖国建国運動）だ。

当然、〝かれら〟がめざすカナンの地には異民族が住んでいる。それがパレスチナ人たちだ。

イスラエルは戦車、機関銃などで重武装して、彼らに立ち退きを迫った。

「……この土地は我々の先祖が住んでいたから出て行け」

「それは、いつごろのことだ？」

「……三〇〇〇年前だ」

呆れ果てるパレスチナ人たちの顔が目に浮かぶ。

「それは、むちゃくちゃだ」

「……そうか、なら皆殺しだ」

これからの惨劇は、もはやいうまでもない。まさに歴史は繰り返す。

〝かれら〟はパレスチナ人殺戮と追放の根拠を肩をそびやかして言う。

「……神が我々に与えてくれた土地だ」

背筋の凍る論法である。

このユダヤの悪魔の傲慢《ごうまん》と所業を、全面的に支持してきたのがアメリカだ。

それに対してパレスチナ解放機構（ＰＬＯ）のアラファト議長は、こう反駁《はんばく》した。

「……なら、アメリカはインディアンに土地を返せ」

三〇〇年前、北米の大地はネイティブ・アメリカンたちの所有だった。

イスラエルの無理難題を支持するなら当然、アメリカは先住民に土地を返還すべきだ。

子どもでもわかる理屈である。そして正論をアメリカに突き付けたアラファト元議長は、宿願のパレスチナ解放を見ることなく二〇〇四年に死去している。

◉イルミナティ、フリーメイソン、DS支配

日本人はマスメディアに完全〝洗脳〟されている。

これまで述べてきたことに、ただただ驚くばかりだろう。ユダヤ人が異教徒を〝ゴイム（獣）〟と蔑み、差別、殺戮《さつりく》してきたことなど、まったく知らなかった。

政府、テレビ、新聞などマスゴミは、完全に〝闇の勢力〟に乗っとられている。

それは、（1）〝イルミナティ〟、（2）〝フリーメイソン〟、（3）〝ディープステート（DS）〟の三層構造をなしている。

さらに現代の国際社会を理解するには、（〝闇の勢力〟）グローバリストvs（〝光の勢力〟の）ローカリストの対立構造の理解が不可欠だ。

当然、ネタニヤフ政権のイスラエル、バイデン政権のアメリカは闇の側だ。

一九四七年以降、手前勝手なイスラエルによる一方的攻撃で、パレスチナは国土の四分の三を失った。そしてパレスチナ人は二分され、ヨルダン川西岸とガザ地区の〝自治区〟に押しこめられている。そこは〝自治区〟とは名ばかり。イスラエル軍の厳重監視下に置かれている。

一九九三年、ノルウェーの仲介でイスラエルとPLOが和平で合意し、パレスチナ側に暫定自治政府が承認された。これは、国土の四分の三を奪われたパレスチナにとって、屈辱的なものだった（「オスロ合意」）。

世界の対立軸は、グローバリズムvs.ローカリズム

グローバリズム “闇の勢力”		ローカリズム “光の勢力”
《悪魔教》（サタニスト）	⟺	《既存宗教》（多彩信仰）
《新世界秩序》（NWO）	⟺	《地域自立主義》
《全体主義》（ファシズム）	⟺	《民主主義》（デモクラシズム）
人類家畜社会	⟺	多様共生社会
国家・宗教を廃絶	⟺	国家・民族が繁栄
財産・子供・住居没収	⟺	財産・居住・職業自由
地球人口を5億人に	⟺	成長と調和の地球社会へ
米、欧、加、豪、日	⟺	中、露、印、中南米、中東、アフリカ
“遺伝子ワクチン”	⟺	“既存ワクチン”
人口削減	⟺	人口不変（*「ディガール報告」）
バイデン、エリザベス女王 ローマ法王、ゼレンスキー	⟺	トランプ、習近平、プーチン

しかし、この「合意」はイスラエルにより反故《ほご》にされる。イスラエルは〝入植〟と称してパレスチナ自治区に軍事侵略を進め、狭いヨルダン川西岸地区の自治区は蚕食されていく。

反対、抵抗するパレスチナ人は容赦なく殺害された。

こうしてヨルダン川西岸地区で、じっさいパレスチナによる自治が行われているのは、わずか一八％に追い込まれている。その消滅も時間の問題だ。

さらに悲劇は極小ガザ地区に追い込まれたパレスチナ人たちだ。

二〇〇万人もの人々がひしめきあい、まさに〝天井のない監獄〟と化している。

パレスチナの地が、いかにしてイスラエル

に蹂躙《じゅうりん》され、簒奪《さんだつ》されてきたか？

その変遷を見ると胸が痛む。ハマスの決死の蜂起《ほうき》も無理はない。

◉「神に選ばれた」選民思想の恐ろしさ

ここまで歴史を俯瞰《ふかん》すると、人類史の悲劇の根源が見えてくる。

それはユダヤ教の選民思想に他ならない。

〝かれら〟は自分たちを絶対神〝ヤハウェー〟によって〝選ばれた民〟だと誇る。

これは外から見たら滑稽《こっけい》な思い上がり、思いこみにすぎない。

しかし〝かれら〟は心底、そう信じている。これが宗教の恐ろしさだ。

その選民思想はユダヤ教からキリスト教に受け継がれて今日に至っている。

だからこそ人類の悲劇のルーツを掘り起こす必要がある。

歴史家ユースタス・マリンズ氏は著書『真のユダヤ史』（成甲書房）で、ユダヤを断罪する。

「他民族を簒奪して生き延びる寄生強盗民族」「非ユダヤ社会の指導者を意のままに操る」「国家に寄生し、歴史を捏造《ねつぞう》し、文明を破壊する」

まさに痛烈な批判である。しかし歴史を振り返ると、うなずかざるをえない。

「……ユダヤ人は、寄り集まっては口々に、非ユダヤ人という家畜《かちく》すなわち〝ゴイム（獣）〟

への軽蔑を表明することになる。そのあげく、ユダヤ人は、非ユダヤ民族を繁殖させて、屠殺すべき放牧家畜とみなすのである」（マリンズ氏）

二つのユダヤ！　悪《ワル》はなりすましハザール・マフィア！

◎〝失われたユダヤ一三支族〟とは？

紀元前一〇五〇年、古代イスラエル王国が現在エルサレムの地に建国された。

しかし後に王国は南北に分裂した。北イスラエルには一〇支族、南イスラエルに三支族が残った。そして、いずれも他民族に滅ぼされた。

「……捕囚にされた最初のユダヤ人大集団である一〇支族は、何の痕跡も残さず消え失せた」

（『ユダヤ人の歴史』ヨゼフ・カシュタイン著）

これが俗にいう〝失われたユダヤ一〇支族〟だ。

さらに南の三支族も消えた。だから正確には〝失われた一三支族〟だ。

南イスラエルに残された民も王国の崩壊とともに離散した。

ユダヤ人たちは祖国なき民として世界に拡散し、各民族や各国家に侵入していった。

マリンズ氏が非難するように「国家に寄生し、歴史を捏造し、文明を破壊」していったのだ。

ここまでユダヤ攻撃を目にすれば、憤激するユダヤ人も多いはずだ。

ここで重大な指摘をしなければならない。

ユダヤ人といっても二種類が存在する……という意外な事実だ。

つまりモーゼのヘブライ人から失われた一三支族まで連なる正当なユダヤ人とは、まったく異なる連中がいるのだ。

それがハザール・ユダヤの存在だ。〝かれら〟は別名〝なりすましユダヤ〟と称される。

この異なるユダヤ人の存在が、問題をややこしくしている。

ハザール王国は南ロシア草原に存在したトルコ系遊牧民国家だ。

八世紀初め国王がユダヤ教の長所を認めて、なんとこれを国教と定めたのだ。

多くの貴族も国王に従い、普通の人々もユダヤ教徒に改宗した。

なんとハザール王国は、まるごとユダヤ教国家となったのだ。

「……ユダヤ教を受容し、厳密にはユダヤ人ではないが、自らユダヤ人であると自覚するようになったユダヤ国家である」（『世界史の窓』www.y－history.net）

◉悪の根源〝ハザール金融マフィア〟

しかし正当なユダヤ人からすれば、〝かれら〟は完全な偽ユダヤ人だ。

そこで正統派と区別するため、〝かれら〟はアシュケナージュ・ユダヤと呼ばれる。

「……特筆すべきは、他のトルコ系諸民族がイスラム教を受け入れたのに対してユダヤ教を受容したことである。また彼らはキエフやロシアに押されて衰退するが、ユダヤ教信仰を持ち続け、それがロシアにユダヤ教徒＝ユダヤ人が多い理由ともなっている。彼らは一九世紀、帝政ロシアで迫害され、第二次大戦後、パレスチナにわたってイスラエル建国に加わった」（同）

本物ユダヤと偽者ユダヤの二つが存在する……！　初めて知った人はびっくりする。

わたしの畏友《いゆう》でもあり、自らをユダヤ人と自任するベンジャミン・フルフォード氏。

彼は強く断言、唾棄《だき》する。

「……悪いのはハザール・ユダヤだよ！」

世界史、諸悪の根源はユダヤ金融資本であることは、よく知られている。

そして――。世界金融を独占してきたロスチャイルドやロックフェラー財閥などは、ことごとくハザール・ユダヤなのだ。

だから〝かれら〟は、別名〝ハザール・マフィア〟と名指し、非難されている。

「……〝かれら〟は、ソロモン神殿の再現を夢見るが、ハザール系ユダヤとソロモン王やヘロデ王には血族関係はない。〝かれら〟の祖先は遊牧民フン族である。（〝かれら〟は）第三次大戦後に世界統一政府（ＮＷＯ）を造り上げたユダヤ人以外は、〝家畜〟奴隷として扱うという」

「これは遊牧民が農耕民族を奴隷にしてきたDNAではないか」「正統派ユダヤ（スファラデー）は、イスラエルでは〝二流国民〟であるが東アジアへ逃亡を行っている」（『ハザール系ユダヤ財閥と第三次大戦』へのレビュー）

◉ヒトラーもハザール・ユダヤ系

イスラエルでは、なりすましハザール・ユダヤが正統派へブライ・ユダヤを支配している！

なんとも信じられない。しかしユダヤ人を大量虐殺したヒトラー自身、ライオネル・ロスチャイルド（写真上）の孫にあたる。

　そしてロスチャイルド家は、ハザール系ユダヤである。つまりヒトラーはユダヤ民族の血累なのだ。さらにヒトラーは英国スパイだった。二〇代前半に英国のタビストック戦略心理研究所でスパイ養成訓練を受け

ロスチャイルドとヒトラーの関係（同書より）

ている。（『ヒトラーは英国スパイだった！』上下、ヒカルランド）

つまりヒトラーもハザール・ユダヤの系譜なのだ。

つまりナチスが大量虐殺したのは二流に貶《おとし》められた正統ユダヤ人たちということになる。

現イスラエルも一級国民ハザール・マフィアが政権を掌握している。

そして――。その性根は冷酷非道だ。

イスラエル市民を殺したのはイスラエル軍だった

◉ハマス攻撃は〝偽旗《にせはた》作戦〟である

二〇二三年一〇月七日、世界を震撼させる事件が起きた。

パレスチナのガザ地区を統括する勢力ハマスがイスラエルを攻撃したのだ。

ネタニヤフ政権は不意打ちを食らった（フリをした）。

〝かれら〟は世界最高を誇る諜報機関モサドを擁する。ハマスの動向は完全掌握していたのは、まちがいない。さらに襲撃五日前には、ガザ地区に隣接するエジプト秘密警察がハマスの動きを察知していた。「ハマスの総攻撃が近い」とイスラエル側に警告していた。

しかしネタニヤフらはなぜか、それを無視した。

それどころか「ハマスの攻撃が近い」ことを国境警備兵に、いっさい知らせなかった。

だから油断していた兵士たちは不意をつかれて壊滅した。

それどころかネタニヤフらは国境沿いでの音楽フェスティバルを開催させている。

ハマス総攻撃が逼迫《ひっぱく》していることをエジプト側が通告しているにもかかわらず……。

つまりは絵に描いたような〝偽旗作戦〟だ。

これは相手にわざと攻撃させて、味方側の戦意を煽《あお》る戦法だ。

たとえば太平洋戦争勃発の引き金となった真珠湾攻撃がその典型だ。

より狡猾《こうかつ》なのは、自分で自分を攻撃して「〝やつら〟がやった！」とでっちあげる。

ヒトラーが内閣組閣後に国会議事堂を焼き討ちして「共産党がやった！」と罪をなすりつけ、共産党員を一斉逮捕したのと同じ。ベトナム戦争で米軍が自らの駆逐艦を魚雷攻撃で沈め「北ベトナムの卑怯《ひきょう》な攻撃」と大規模北爆を強行したのと同じ（トンキン湾事件）。

間近なところでは9・11同時多発〝テロ〟が記憶に新しい。

ハマスの攻撃もネタニヤフらは事前に知っていた。

だからエジプト秘密警察の警告にも、いっさい反応しなかった。

目的は「――一発殴らせて百発殴り返す」。

◉民間人を掃射しハマス攻撃に見せかける

そのため千人規模の音楽フェスティバルを国境間近で開催させ、〝おとり〟とした。

それより血の凍る事実が判明している。

「……イスラエル国民を殺したのはイスラエル軍だった」

ユーチューブ画面上でジャーナリスト及川幸久さんは沈痛な表情で語り始めた。

「……アパッチ・ヘリコプターが逃げ惑うフェスティバル参加者のほとんどを殺害したというビデオが出回っていることを確認しました」

この衝撃事実をスクープしたのがイスラエルメディアというから驚く。

「……パイロットはどれがハマスで、どれが民間人かわからず、すべての車を撃ったと認めています」（及川氏）

その証拠に音楽フェス参加者の数百台の車が、すべて跡形もなく粉砕されている。

国境を越えて侵入したハマス兵士たちは、機銃しか持ってい

音楽フェスティバル会場駐車場。
アパッチヘリの機関砲で粉砕されている

なかった。

機銃でクルマをこれほど粉砕することは不可能だ。これは紛れもなくアパッチ軍用ヘリからの機銃掃射だ。それも破壊力のある二〇ミリ機関砲やロケット弾などが使われたはずだ。

パイロットの独自判断で、これほど徹底した攻撃が行えるわけがない。

軍上層部からの射撃命令があったことも、まちがいない。

その命令は、フェスティバル参加者の〝皆殺し〟ではなかったのか？

パイロットの証言は良心に耐えかねてのものだろう。

及川氏は声をふるわせて続ける。

「……ネタニヤフ首相は、イスラエル国民に隠していた。イスラエル軍が一〇月七日、最大の虐殺者だったのです」

さらにハマス戦闘員は、フェスティバルが開催されていることも知らなかったことも確認されている。

「……ネタニヤフ首相は、すべてをハマスに押し付け、無差別攻撃し、現在一万一〇〇〇人以上の民間人と子どもを殺害しているのです」（及川氏）

さらにジャーナリストのマックス・ブレメンタール氏は、以下の真実を暴露している。

「……イスラエル政府の宣伝担当者は、ハマスの残虐行為の証拠として提示された焼死体は、じっさいにはイスラエル軍ミサイルによって焼かれたハマス活動家であったという報告を確認している」

つまりネタニヤフらは、ハマス〝攻撃〟を初めから熟知していた。

だから国境警備兵には知らせず、一〇〇〇人規模の音楽フェスを開催させ、〝おとり〟とした。

襲撃一報と同時にアパッチヘリを急行させ、地上の若者たちを機銃掃射で皆殺しにした。

さらに駐車中の車も数百台を徹底破壊した。車に隠れた市民は無残な最期をとげたはずだ。そして地上に散乱する死体を映して、世界にハマスの残虐さをアピールした。

しかしパイロットの呵責《かしゃく》に満ちた告白で自国民大量殺戮の〝偽旗作戦〟が、ばれてしまった。

及川さんは、この直後、ユーチューブを突然、永久バン（排除）された。

真実を勇気とともに告発したことに対するＤＳの報復である。

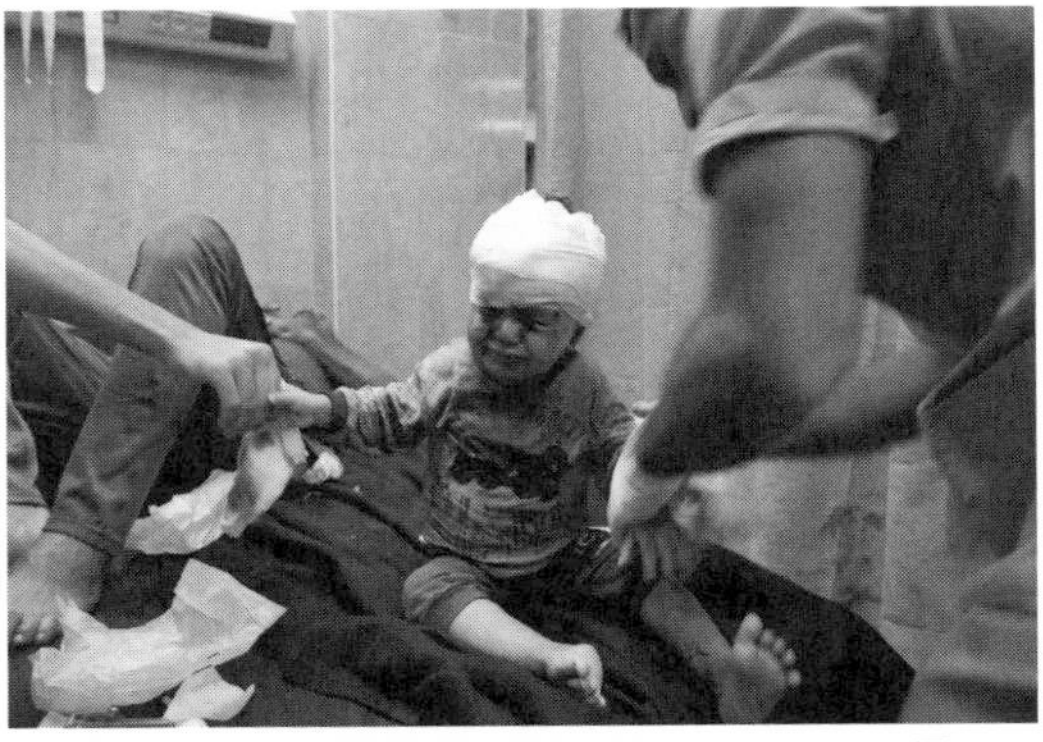
抵抗手段のない女性や子どもたちを襲ったイスラエル軍

「神は異教徒を殺し、奪うことを許された」（ローマ教皇）

⦿ユダヤ教からキリスト教へ選民思想

「異教徒は〝ゴイム（獣）〟」という醜悪な、ユダヤ教に端を発する選民思想――。

それこそ世界史の諸悪の根源である。

それは三〇〇〇年以上も昔のモーゼ出エジプトからネタニヤフのガザ攻撃まで連綿と連なる。

――**神に選ばれた、土地を与えられた**――

この傲慢、醜悪な思い上がりは度しがたい。

しかし〝やつら〟は本気でそう信じきっている。そして、さらに恐ろしいことがある。

それは、この選民思想が後のキリスト教に引き継がれていることだ。

キリスト教は――異教徒は神の子ではない――と教える。

そして――**異教徒は地獄に堕ちる**――と断じる。

つまり「異教徒は人間でない。だから地獄に堕ちる」と言っているのだ。

「異教、邪教、迷信に惑わされている彼らを、救わなければならない」

こうして数多くの宣教師たちが、帆船に乗って世界中に旅立った。

「神の福音を伝える」「異教徒たちを救済する」

海風を頬に受けて水平線を見つめる彼らのまなざしは、希望と使命感に燃えていた。

◉奪え！　盗め！　殺せ！　ローマ教皇勅令

中世の大航海時代――。

ローマ教皇は勅令を出している。そこには、こう綴《つづ》られていた。

「――神は許される。異教徒の国を奪ってよい。財産を奪ってよい。殺しても、奴隷にしてもよい――」

船乗りたちは、この「勅令」手に意気揚々と先を争って船出した。

「いくらでも奪えるぞ！」「いくらでも殺せるぞ！」「いくらでも奴隷で稼げるぞ！」

なにしろ神が、それをはっきり許しているのだ。

こうして大航海時代という名の大略奪時代の幕が切って落とされた。

彼らが狙ったのは――。

アフリカ大陸、インド、東南アジア、オーストラリアそして南米、アメリカ大陸だ。

むろん、これらの土地には、おのおの先住民が平和に暮らしていた。

そこに、おびただしい帆船に乗った白人たちが上陸してきた。

最初に一歩を印したのが宣教師たちだ。続いて商人たち……。

最後に完全武装した兵士たちが上陸してくる算段だった。

つまり――、

（１）宣教師が心を奪う。（２）商人が物を奪う。（３）軍隊が国を奪う。

じつに巧妙な〝三段システム〟である。

◉白人支配は約五〇〇年も続いた

①**宣教師**：質素な身なりで、武器も携えていない。いつも優しい柔和な笑みをたたえている。
だから現地の先住民たちも警戒しない。

宣教師は天国と地獄を説く。キリスト教を信じないものは恐ろしい地獄に堕ちる。

恐怖におののく先住民は、先を争ってキリスト教に改宗した。

こうして難なく彼らは現地人の心を奪ったのだ。

②**商人**：次にさまざまな魅力的な商品を携えて商人たちが上陸してくる。
舶来の珍しい品々に現地人は目を奪われる。

それと交換に貴重な資源を容易に手放してしまう。こうしてやすやすと商人は物を奪うのだ。

ここまで来ると先住民たちも「おかしい」「だまされた」と気づく。

③**軍隊**：反抗する者も出てくる。すると最後に重武装した軍隊が上陸して鎮圧する。

このときは、「白い悪魔」も悪辣《あくらつ》な本性をあらわにしている。

逆らう現地人は投獄、銃殺、処刑と弾圧の限りを繰り返す。

現地の王族たちは追放、殺害などで消滅する。

こうして悪魔たちは難なく、国を盗むことに成功する。それだけにとどまらない。

④**奴隷商人**：神は勅令より現地人を奴隷にすることも許している。

だから白人たちは、堂々と先住民を奴隷として捕獲する。

奴隷船に鮨詰《すしづ》めにして他国に売りさばいた。

アフリカ、アジア、オーストラリア、北米、南米……の国々はこの世の地獄と化した。

こうして有色人種に対する非道な白人支配は約五〇〇年も続いたのだ。

この非道は人類史をふり返るとただただ、背筋が凍る……。

第2章

北米、中南米、アフリカ、豪州すべて〝盗まれた〟

――先住民は皆殺しし、次に狙うのは緑の日本列島だ

「民族浄化――あらゆる民族を消滅させる」（M・ロスチャイルド）

◉M・ロスチャイルドの地球征服宣言

①白人はインディアンを皆殺しにして北米大陸を奪った。
②白人はインディオを皆殺しにして中南米大陸を奪った。
③白人はアボリジニを皆殺しにしてオーストラリア大陸を奪った。
④白人は黒人を皆殺しにしてアフリカで奴隷狩りをした。

……次に狙いを定めているのが、

⑤緑なす、わが日本列島の〝先住民〟ではないか？

それを杞憂《きゆう》と笑うわけには、いかない。

北米、中南米、アフリカ、豪州……これらの先住民たちは最初、自分たちがこれほど悲惨な悲運をたどることなど、いっさい想像できなかったはずだ。

しかし、われわれは、これら悲劇の民族たちの運命をたどることができる。

「民族浄化」（エスニック・クレンジング）という恐ろしい言葉をご存じか？

一七七三年、すでにロスチャイルド家は欧州随一の金融資産家であった。

当主マイヤー・ロスチャイルドは若冠三〇歳。彼はヨーロッパ中から一二人の富豪を糾合して、フランクフルトで極秘会議を主宰している。

彼こそがロスチャイルド財閥の創始者といえる。そのとき彼は高らかに宣言した。

「あらゆる国家を滅ぼし、民族を滅ぼし、宗教を滅ぼす。そうして地球統一政府を樹立する」

そのとき『世界統一計画二五カ条』を採択している。

ロスチャイルド家は、地球上のあらゆる国家、民族、宗教を消滅させると宣言しているのだ。

「民族浄化」の悪魔的企みは、ここから始まっている。

さらに三年後の一七七六年、マイヤーは若き神学者アダム・ヴァイスハウプトをスカウトして代表に据え、秘密結社〝イルミナティ〟を創設している。不気味なシンボルマークは、フクロウの目を模しているといわれる。三六〇度、どこでも見渡すという意味だ。

それは「国家を否定し、神を否定する」過激思想だった。

それを危険視したドイツ国王は一七八六年、〝イルミナティ〟禁止令を発令した。

◉秘密結社〝フリーメイソン〟と合体

だから、この秘密結社はわずか一〇年の命だった……といわれる。しかし、そうではない。

すでに存在していた世界最大の秘密結社〝フリーメイソン〟に会員たちは潜入した。

そして両者は密約を結んでいる。

「……〝フリーメイソン〟への潜入。秘密厳守の〝フリーメイソン〟から提供される物は、すべて利用する。〝フリーメイソン〟内部に自らの大東社を組織し、破壊活動を実行する。そして博愛主義の名のもとに、活動の真意を隠すことは可能だ。大東社に参入するメンバーは、すべて勧誘活動に利用する。そして〝ゴイム（獣）〟の間に無神論・唯物主義を広めるのだ」（同計画一六条）

〝イルミナティ〟が目指すのは、国家・民族・宗教の破壊による世界統一政府だ。

以来、〝イルミナティ〟は〝フリーメイソン〟三三位階の上部を独占して今日にいたる。

世界を裏から操る“闇の勢力”は三層構造だ

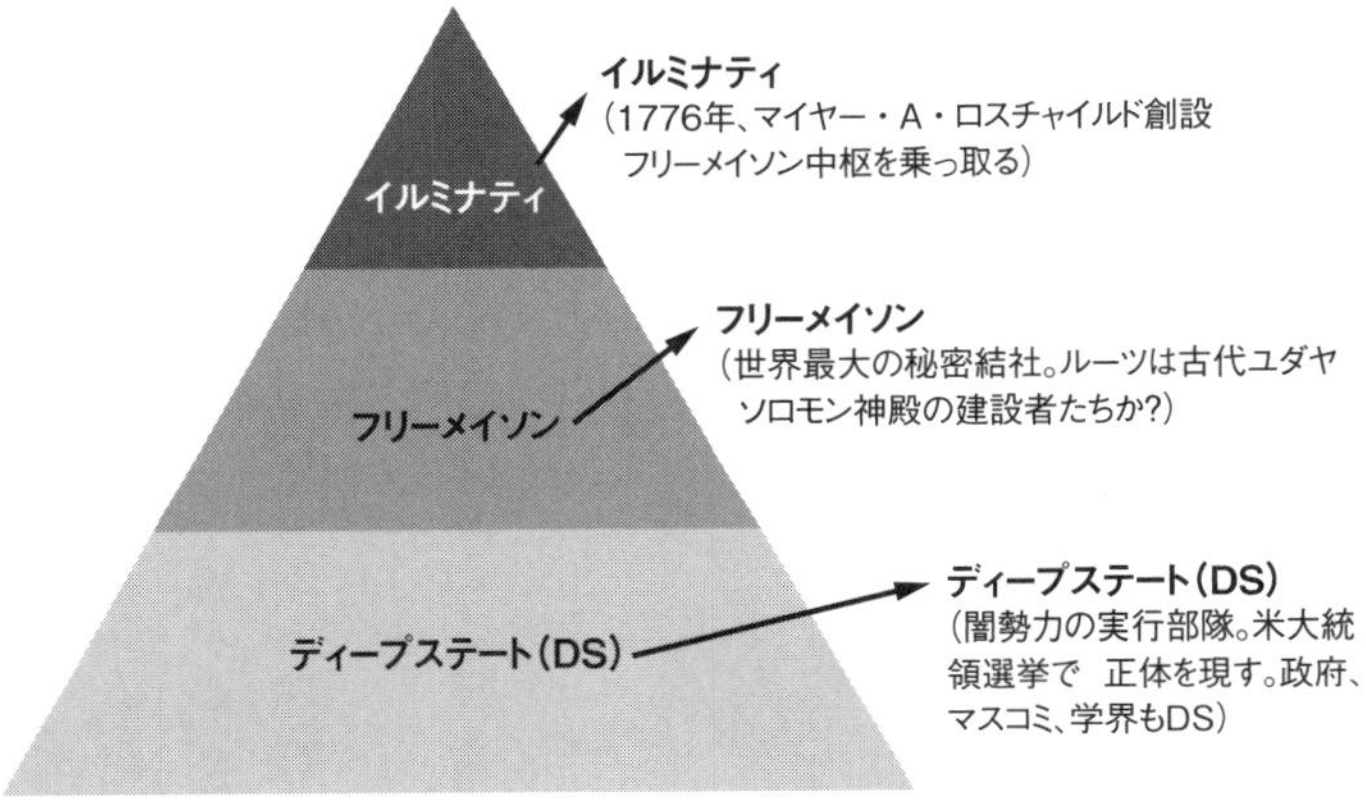
イルミナティ
フリーメイソン
ディープステート（DS）
イルミナティ
（1776年、マイヤー・A・ロスチャイルド創設
フリーメイソン中枢を乗っ取る）
フリーメイソン
（世界最大の秘密結社。ルーツは古代ユダヤ
ソロモン神殿の建設者たちか?）
ディープステート（DS）
（闇勢力の実行部隊。米大統
領選挙で 正体を現す。政府、
マスコミ、学界もDS）

「……最終目標である世界統一政府に到達するために、大規模独占が必要だ。〝ゴイム（獣）〟の中でももっとも富のある者さえ、我々に頼るほど莫大な財物の蓄積が必要だ」（同二〇条）

「……〝ゴイム（獣）〟から不動産、産業を奪う。そのため重税と不当競争を用いる。それでゴイムの経済を破綻させる」（同二二条）

「……国家法、国際法は、そのままに否定的解釈を行うことで、ゴイムの文明を破壊する」（同二五条）

このように〝やつら〟は、われわれ人類が培《つちか》ってきたあらゆる文明を破壊すると宣言している。民族浄化や宗教禁止など悪魔勢力にとって手始めにすぎない。

ここで忘れてはならない。ロスチャイルド家はハザール・ユダヤなのだ。

いわゆる成りすましユダヤ。

〝かれら〟は純正ヘブライ・ユダヤを二級国民に貶《おとし》めてユダヤ社会を完全支配してきた。

北米インディアンは二%にまで抹殺された

◉コロンブスはインド人と間違えた

北米大陸の先住民インディアンたちの悲劇の歴史を検証する。

インディアンとは、本来の意味は〝インド人〟という意味である。

アメリカ大陸を〝発見〟したコロンブスたちは最初、この地を新大陸とは知らずインドに着いたと勘違いしていた。だから現れた先住民を〝インディアン〟と呼んだのだ。

これは、よく知られたエピソードだ。この呼称は、そもそも初めから間違いだった。

だから昨今、彼らを〝ネイティブ・アメリカン〟（アメリカ先住民）と呼ぶようになった。

しかし本書では、当初からの呼び名インディアンを踏襲する。

この語感のほうが当時の侵略者たちの心情が伝わると思う。

「……歴史的呼称としての〝インディアン〟に誇りをもつインディアンたちのなかには、これをあくまで自称とし、またその『名称を代えること自体が差別的である』とするものもいる。活動家たちには『アメリカインディアン』を主張するものもいる」（『ウィキペディア』）

⊙インディアン戦争による大殺戮《さつりく》

インディアンの祖先は、約二万五〇〇〇年前にシベリアに進出したアジア系モンゴロイドといわれる。当時は最終氷期で、現在のベーリング海は陸続きだった。

だから彼らはユーラシア大陸から徒歩で北米大陸へ移動してきたのだ。約一万五〇〇〇年前に古モンゴロイドはカナダを越えて、現在のアメリカ合衆国本土の地にやって来た。

彼らがインディアンと中南米のインディオの直接の祖先である。

それから一〇〇〇年をかけて彼らの一部は南下を続け、ついに南米大陸の最南端の地にまで到達した。

インディアンたちは国家を持たず、部族ごとに存在した。広大な北米大陸で、彼らはバッファローを狩る狩猟民族として長い年月を、平和に過ごしていた。

一四九二年、〝白い人間〟たちが遠くからやって来るまでは……。

……アメリカ大陸にいた先住民はその後、人口を急激に減らしている。

その元凶は、ヨーロッパ人の持ちこんだ伝染病、奴隷制度、レイプ、さらには戦争による大量殺戮である。それら惨劇により一四九一年に約一億四五〇〇万人もいた先住民は、二〇〇年後の一六九一年には人口の九〇〜九五％に相当する一億三〇〇〇万人も減っている。

わずか二〇〇年で五〜一〇〇％に激減……！

こうして現在のアメリカ合衆国のインディアンは二〇〇万人しかいない。激減したとはいえ、一八世紀頃には少なくとも一二〇〇万人は存在したとみられている。

だから現在の北米インディアン人口はわずか一％と壊滅的だ。

左手に聖書、右手にウィンチェスター銃

◉「西部開拓史」の正体「西部侵略史」

北米大陸でインディアンを絶滅に追い込んだのは、いうまでもなく白人たちである。

彼らの大半は、欧州でカソリック勢力に迫害され、行き場をなくしたプロテスタントたちだった。多くは清教徒（ピューリタン）だ。

「西部開拓史」といえば、アメリカン・スピリッツの歴史と讃《たた》えられている。

しかし先住民インディアンの側からすれば、まさに「西部侵略史」そのもの。

白人たちこそ、先祖伝来の土地を力ずくで奪う「白い悪魔」に他ならなかった。

ジョン・フォード監督の名画『駅馬車』は西部開拓の荒野を疾走する駅馬車、それを襲撃するインディアンたちの手に汗握る戦いを描いている。

私の子どものころは襲ってくるインディアンたちが悪人で、襲われる白人が善人だと思って

いた。まさに、これはアメリカ占領軍司令部ＧＨＱ以来の〝洗脳〟の成果だった。

迫害を受けて、新天地に移住してきた清教徒（ピューリタン）たちは、左手に聖書、右手にウィンチェスター銃でインディアンたちに立ち向かった。

こうして先住民と侵略者の間で殺すか、殺されるか、血で血を洗う死闘が繰り広げられた。そして勝利したのは武力で勝る白人だった。

◉傑作映画にこめられた苦い悔恨

しかし、アメリカにも良心派は存在する。

西部劇にもやがて反省と悔恨が描写されるようになる。

その走りが『ソルジャー・ブルー』（一九七〇年）。原題は「青い制服の兵士」。

つまり騎兵隊のことだ。彼らこそインディアン大量虐殺の先兵だった。

このアメリカン・ニューシネマの傑作は、それまで侵略する側から描いていた西部劇を侵略される側からの視点で描いている。そこには平和に暮らす先住民の部落を襲撃し、女子ども情け容赦なく虐殺する騎兵隊の姿が赤裸々に描写されている。

続いてダスティン・ホフマン主演『小さな巨人』、ケビン・コスナー主演『ダンス・ウィズ・ウルブズ』など同様の作品が相次ぐ。

そこには良識派、映画人の苦い痛い思いがこめられている。それこそ侵略者の〝心の痛み〟である。映画『ジェロニモ』（一九九三年）も白人支配と戦った英雄を描く。

居留地に閉じ込められたインディアンたちは、一歩も外に出ることも酒を飲むことすら禁じられる。それに従った先住民たちも騎兵隊の非道な弾圧、殺戮に、ついに反乱、蜂起する。

まさにパレスチナ民衆のイスラエルに対する蜂起と重なる。

それは最新作『キラーズ・オブ・ザ・フラワームーン』（二〇二三年）にも感じられる。

「われわれアメリカの歴史は先住民への弾圧で血塗られている」。

つまり自らを告発する映画だ。製作・主演はレオナルド・ディカプリオ。共演はロバート・デ・ニーロ。フラワームーンとはインディアンたちの暮らしを祝福する美しい草花である。

つまり先住民の象徴だ。『キラーズ』とは、いうまでもなく彼らを殺戮した白人たちだ。

映画「駅馬車」の1シーン。真の悪人は侵略した白人だった

◉インディアン連続殺人事件の闇

名優ロバート・デ・ニーロが主人公の伯父役で登場する。

地元の実力者で、表向きはインディアンと友好を誇示している。しかし裏では彼らの暗殺と略奪を行ってきた悪人である。本作は本当に起こった史実を忠実に再現している。故郷を追われたインディアンの一部族オセージ族は、白人から強制的にあてがわれた居留地で石油を掘り当てる。合衆国憲法に乗っとり、その利益の半分を要求。こうしてアメリカ建国史上もっとも豊かな先住民部族が出現した。なにしろ白人を女中にして、当時、珍しかった自動車まで手に入れる暮らしぶりだった。それを横目で嫉妬し、その財産に目を付けたのがデ・ニーロ演じる狡猾な男である。同名小説を映画化。実際に舞台となった街ではインディアン連続怪死事件が頻発……。警察はいっさい捜査もしていない、いない、いない。

地元警察もデ・ニーロの片割れだった。

「……このままでは、われわれは全員殺される」

危機感を深めたインディアンたちは首都ワシントンに赴き、大統領に救済を直訴する。

そこでフーバー長官率いるＦＢＩが重い腰を上げ、現地の捜査に乗り出す。

こうして悪魔的でおぞましいインディアン大量暗殺の真実が白日の下にさらされる。

なんと六〇人以上の裕福なオセージ族が一人……また一人……と白人に暗殺されていたのだ。

首謀者デ・ニーロも、さらに甥のディカプリオも逮捕される。

しかし大量殺害にもかかわらず彼らは死刑にはならず、後に恩赦で釈放されている。

先住民なら即縛り首。まさにアメリカお得意の露骨なダブル・スタンダードだ。

アメリカは秘密結社フリーメイソンが〝建国〟した

◉「悪魔の子」を自ら名乗る連中

この映画の見所は、表向きは善人を装っていたデ・ニーロが甥のディカプリオを叱責するシーンだ。

「……いいか！　俺は〝フリーメイソン〟三二位階の大物なんだぞ。覚えておけ！」

と怒鳴りつける。ついに言った……！　わたしは数多くのアメリカ映画を観てきたが、「〝フリーメイソン〟」という台詞《せりふ》を聞いたのは初めてだ。

それほど、この言葉は絶対タブーなのだ。

しかし映画の悪役に、この台詞を吐かせた監督マーティン・スコセッシは大したものだ。

三時間二八分という長尺映画だが、一気に見終わる。アメリカ暗黒史を暴く傑作だ。

ディカプリオをはじめ製作陣の良心の重み、痛みを感じる。必見である。

デ・ニーロの台詞はアメリカ片田舎の街すら、〝フリーメイソン〟が支配していた……という事実を暴露している。

それもそのはず、アメリカを〝建国〟したのは〝フリーメイソン〟なのだ。

その証拠に一七七六年、フィラデルフィアで採択された独立宣言に署名した五六人のうち五三人が〝フリーメイソン〟会員であったことが判明している。

初代大統領ジョージ・ワシントンから独立宣言の起草者トーマス・ジェファーソンまで、関係者は全員〝フリーメイソン〟という布陣なのだ。

それ以来、アメリカはこの国際秘密結社に支配され続けてきた。

〝フリーメイソン〟は〝自由な石工〟という意味だ。だから石工組合がルーツという説がある。

しかし、これは逆で秘密結社が石工組合を乗っとったのだ。

〝フリーメイソン〟自体は起源は古代イスラエル王国のソロモン神殿建設者たちともいわれる。

さらに古代エジプトまでさかのぼる……という説すらある。

〝かれら〟は名前と姿を変えて全世界の国家、組織、企業などに潜入して支配の網の目を張り巡らせてきた。

「……〝フリーメイソン〟とはフランス誤で『フランマソン』である。それは『フラムの子』という意味である。『フラムの子』とは『ルシファーの子』である。〝フリーメイソン〟とは、

自らをルシファーの子、すなわち『サタンの子』と名乗る人々なのである」（在田実氏『マルクスの超素顔』徳間書店）

◉「自由」「平等」「博愛」の〝嘘〟

〝フリーメイソン〟は一七二三年、「大憲章」を策定している。

その究極目的は世界統一であることを明確に謳《うた》っている。その信条として「自由」「平等」「博愛」を掲げている。これは、いうまでもなく大衆を欺《あざむ》くキャッチフレーズにすぎない。

この秘密結社には謎めいた入会儀式がある。

目隠しをさせられ、「秘密を漏らしたら内臓を取り出されてもよい」と誓約させられる。

そこには「自由」「平等」「博愛」などカケラも存在しない。

しかし、この「自由」「平等」「博愛」はフランス革命の「人権宣言」でも登場する。

そしてアメリカ独立宣言でもしかり。

つまり、これら革命や建国は、すべて〝フリーメイソン〟が仕切っていた。その証拠である。

さらにマイヤー・ロスチャイルドの世界統一計画二五カ条の戦略でも、こう述べている。

「……我々は『自由・平等・博愛』を大衆に教え込んだ最初の民族である」（第一〇条）。

この「民族」とはハザール・ユダヤである。

「今日まで、この言葉を愚者たちはくり返してきた。しかし、〝ゴイム（獣）〟は賢者を自任する者すら、この言葉の意味を理解できていない。この言葉こそは、我々の軍隊が掲げる旗印なのだ」（同）

この『計画』採択から三年後、マイヤーは秘密結社〝イルミナティ〟を結成している。

そして一七八六年禁止令の後、彼らは〝フリーメイソン〟に潜入し、秘密協定を結んでいる。

このように①ハザール・ユダヤ＝②〝フリーメイソン〟＝③〝イルミナティ〟＝④アメリカは一心同体なのだ。

南米大陸インカ帝国の滅亡！　スペインの暴虐

◉南米の巨大インカ帝国の悲劇

北米インディアンを絶滅させ、北米大陸を奪ったのがアメリカだ。
南米インディオたちを絶滅させ南米大陸を奪ったのはスペインだ。

さらにかれらは悪魔の触手を伸ばして中南米の国々も我がものにした。

だから、これら国々ではスペイン語が公用語となっている。

インディオたちは国土とともに言語も白人たちに奪われたのだ。

インカ帝国の領地はアンデス山脈に沿って南北四〇〇〇キロにも及んでいた。現在ペルーの地を中心とし、一三～一六世紀にかけて繁栄した大帝国であった。最盛期には人口一六〇〇万人を擁したと伝えられる。

遺跡としては標高二五〇〇メートル高地に建造された天空都市マチュピチュが有名だ。

この南米の王国は、一六世紀以降も平和に存続するかのように見えた。

しかし楽園は血に染まり、一瞬で滅びた……。

遠方から帆船に乗って「白い悪魔」たちが上陸して来たからだ。

一五三三年――緑の大地に第一歩を記した一団がいる。スペイン人フランシスコ・ピサロ司令官率いる軍隊だ。軍勢はわずか百数十名にすぎなかった。ただし兵士たちは鉄砲を装備し、鋼鉄製の剣で武装していた。さらに多くの軍馬も上陸させた。

天空都市マチュピチュ。
白い悪魔たちの迫害から逃れて建造された？

これに対してインカ側の武器といえば、木・石・青銅製の棍棒《こんぼう》くらい。さらに彼らは馬にまたがったピサロの騎馬兵を見て、パニックに陥った。それは四つ脚の怪物に見えたという。なぜなら南米に馬は存在せず、目の当たりの光景に仰天したのだ。

それだけ南米インディオたちは、平和的に牧歌的に暮らしていたといえる。

もともとインカ文明に文字はなく、すべては口承、口伝で継承されてきた。

致命的だったのはインディオたちがヨーロッパの存在も情勢もいっさい知らなかったことだ。

そこに突然〝四脚の怪物〟が出現したのだ。

◉三分で二〇〇〇人以上を虐殺

これらインカ帝国の弱点を見抜いたピサロは、国王アタワルパとの謁見を要求した。宮殿で皇帝は八万人ものインディオ兵士に守られていた。

会見に臨んだスペイン側の兵は百数十人。そのときピサロは相手の意表をつく暴挙に出た。

なんと火砲で武装したスペイン騎兵が総攻撃を開始し、インカ兵に向けて銃を乱射した。

こうして、わずか三分ほどで二〇〇〇人以上のインカ兵たちは見る間に虐殺された。

護衛をなくした王は捕らえられ、連行され、捕虜とされた。

なんともあっけない話だ。しかし、ここにいたる経緯がある。

まず帝国に上陸したスペイン人たちは、武器とともに天然痘《てんねんとう》も持ち込んだ。疫病は急速に帝国全土に蔓延《まんえん》し、国勢も衰退していった。外来の伝染病である天然痘の猛威は、すさまじかった。一五世紀末、新大陸が〝発見〟されたとき南北アメリカ大陸には、少なくとも約二〇〇〇万人もの先住民がいた。それがわずか二〇〇年間で、人口が一〇〇万人以下に激減した。

その大きな原因は、ヨーロッパから持ち込まれた感染症によるものと伝えられる。それは天然痘をはじめ、インフルエンザ、チフス、はしかなどだ。先住民には免疫がなかったため、これら感染症の犠牲になったという。

加えてインカ帝国では皇帝の座をめぐって内乱が勃発、国運は傾いていた。当時の国王アタワルパが王位についたばかりだった。

インカ帝国側は、これだけの弱みを抱えていた。

そこを狡猾なピサロは見逃さなかった。強硬な謁見要求と、強引な皇帝の拉致《らち》連行……。

「白い悪魔」たちのやることは悪辣《あくらつ》非道である。

国王を拉致し人質としたピサロは帝国側に要求をつき

残虐非道の殺戮者
フランシスコ・ピサロ

付けた。

「王を返してほしければ、国中の黄金を集めて持って来い」

やむなくインカの人々は、この強要に従った。全土から山のように黄金細工などが、身代金としてピサロの元に献上された。それでピサロは国王を釈放したのか……？

そうではない。なんとピサロは、無慈悲にアタワルパを惨殺してしまう。

インディオたちの驚きと衝撃は計り知れない。

こうして国家としてのインカ帝国は一五三三年、国王アタワルパ処刑によって終わる。

◉インカ帝国滅亡……ピサロ暗殺

しかし残されたインカの民衆は征服者スペインに抵抗を続けた。

たとえばスペインが擁立した傀儡《かいらい》政権の国王マンコ・カバックは反旗を翻し、首都クスコを脱出。アンデス山中奥地のビルカバンバの要塞に立て籠もって、スペイン軍勢と戦っている。

冷酷無比の将軍ピサロの末路も意外だ。

インカ帝国を征服してわずか四年後、スペイン国王から軍功を称賛されるかと思いきや「無実の国王を処刑した罪」で死刑を宣告されたのだ。

しかし彼は死罪になることはなかった。

彼が処刑したアタワルパの遺児たちの一派に暗殺され、波乱の生涯を閉じている。
その遺体は埋葬されず、ミイラとして今も残されている……。
なんとも不気味でスリラー映画のようなドラマティックな展開だ。
残忍な将軍は死してなお、その悪行が現代に語り伝え続けられている。

アステカ帝国を滅ぼしたコルテスの悪魔的残虐

◉中米王国を殲滅《せんめつ》した奸智と残忍

南米インカ帝国を滅ぼしたのがピサロなら中米のアステカ帝国を滅ぼしたのがコルテスだ。
やはり、スペインから帆船で上陸し、一五二一年、司令官として現在メキシコの地にあったアステカ帝国を滅亡させた。
「……スペイン国王カルロス一世の時代、キューバ総督ベラスケスの秘書であったが、その命を受けて、大陸にあるアステカ人の征服に向かった。一五一九年、メキシコに上陸。現在のベラクルスを最初の植民都市として建設し、拠点とした。そこから内陸のアステカ帝国の首都テノチティトランに進撃した」（『世界史の窓』）
コルテスもまた知略の将であった。

「……劇的効果を狙った深謀遠慮をもって、乗ってきた船をことごとく焼き払って背水の陣を敷いた。八月半ば、わずか四〇〇人のスペイン歩兵を率いて、未知の大敵に挑む壮途についた」(ペンローズ著『大航海時代』)

コルテスはピサロに勝《まさ》るとも劣らぬ虐殺者だった。

「……スペイン人たちが行った数々の虐殺の中でも、とりわけ有名なのは三万人以上の人々が暮らしていたチョルーラという大きな街で行われた殺戮だ」(『大航海時代』)

街のインディオの領主たちは全員、大神官が引率する神官たちの行列を先頭にして、丁寧に恭《うやうや》しくコルテスらキリスト教徒たちを出迎えた。

それからの展開は悪夢である。

「……スペイン人たちは、その場で彼らの虐殺を心に決めた。司令官コルテスは、荷担ぎ人足に雇うという口実で五〇〇〇～六〇〇〇人のインディオを屋敷内の敷地に集めた。恥部を皮で覆い隠しただけの、ほとんど裸同然で子羊のように、じっと屈《かが》んでいる。その彼らに対して、(コルテスは)スペイン人たちに『襲え!』と命令した。インディオたちが突き殺されていく間、司令官コルテスは『(ローマ皇帝)ネロはタルピアの丘より炎に包まれるローマを眺める。老も若きも、みな救いを求めて泣き叫ぶ。だがネロはいささかの憐れみの情も抱かないのだ』と口ずさんでいた」(ラス＝カサス著『インディアスの崩壊についての簡潔な報告』岩波文庫)

——やはり〝やつら〟は人間の皮を被った獣だ。

◉歓待の王を捕らえ金銀を要求

こうしてインディオたちの血の海をかき分け、コルテスたちは一一月に都テノチティトランに到着。湖の上に築かれた壮大都市を見て兵士たちは仰天した。

当時、アステカ帝国はモテンスマ王が統治していた。王はコルテス一行を平和裏に迎えた。軍勢は歓呼の声で市内に入った。

「……王は、みずから金の輿に乗り出迎えた。……しかしコルテスは奸計《かんけい》を以て、王の身柄を押さえ、スペイン兵の監視下に置き、（身代金として）全土から莫大な量の金銀の細工品を集めさせた」（ペンローズ　前出）

このように、アステカ王国の国王は、最大の品位を敬意を払って、遠来の〝白い客人〟をもてなしているのだ。

「多くの廷臣たちを従えてキリスト教徒の到着を待っていた。王はキリスト教徒たちの宿と決めた宮殿まで彼らに随行した」

「その日、スペイン人たちは安心していた偉大な王モテンスマを欺いて捕らえた。八〇人の部下を配して王を監視し、そのの

エルナン・コルテス。
「まず王を殺せ」とピサロに助言

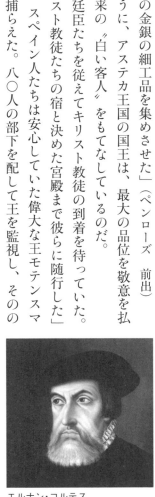

ち王に足枷《あしかせ》をはめた」（同）

さらにスペイン兵たちに「突撃！」を命じた。兵士たちは白刃をかざしてインディオたちに襲いかかった。

「彼らは裸同然のインディオたちの身体を切り刻み、その清らかな血を流し始めた。こうして、彼らは一人残らずインディオたちを殺害した」（ラス＝カサス）

国王を人質に取られたインディオたちは隠忍自重していたが、ついに怒りを爆発させた。全土でスペイン人に対する暴動が勃発。民衆の怒りを鎮めるためコルテスらは、捕虜としていたモテンスマ王を回廊に引き出し、胸に短剣を突き付けて民衆に邸を攻撃しないよう説得させた。王は激昂《げっこう》した群衆に訴えた。

「……武器を捨ててくれ。私はスペイン人の友人だ」

この言葉は暴徒の怒りに火を付けた。彼らは国王めがけて石を投げた。その一つが王の頭を直撃した。これが致命傷となり、哀れ王は絶命した。

◉コルテスからピサロへの忠告「まず王を殺せ」

コルテス軍は怒り狂ったインディオ群衆に完全包囲された。

それを夜間、行軍で脱出を敢行する。しかし一フィートごとに猛り狂った敵の攻撃を受け、犠牲者が続出した。こうして敵中突破で、彼らは辛うじて生き延びたのだ。

そしてコルテスらキリスト教徒たちは軍勢を立て直し反転攻撃をインディオたちに仕掛けた。

著述家ラス＝カサスは、この惨劇を痛切に綴《つづ》っている。

「……そのとき数限りないインディオが殺され、多くの偉大な領主が火炙《あぶ》りにされ、驚くべき前代未聞の危害が加えられた。その甚だしい、忌まわしい暴虐の結果、メキシコの街と、それに近接する街々および地方一帯が全滅してしまった……」

このように南米インカ帝国と同様に、中米アステカ帝国の滅亡も血塗られている。

……コルテスとピサロ。二人は暴虐無比のスペイン人征服者として歴史に悪名を刻んでいる。

両者には奇妙な因縁があった。

コルテスの成功体験は約一〇年後ピサロによるインカ帝国への進軍と暴虐に生かされている。

あるときピサロが先輩コルテスにたずねた。

「……インディオとの戦いの秘訣は、なんだろう？」

コルテスは迷わず答えた。

「……まず王を殺す。するとインディオは抵抗しなくなるよ」

〝アボリジニ狩り〟で遊んだ英国人たち

◉九三万人が白人に撃ち殺された……

〝アボリジニ狩り〟という言葉を知っているか?

文字どおり〝アボリジニ〟をハンティングする遊びだ。

彼らはオーストラリア先住民の黒人たちだ。

北米インディアン、中南米インディオ……白人たちに土地を奪われた先住民は悲惨だ。

しかし、もっとも無残なのはアボリジニたちではないか。

なにしろ彼らは侵略者白人たちのハンティングの遊びで、ことごとく撃ち殺されたのだ。

有名なクック船長が一七七〇年にオーストラリアに上陸した。

そのとき、大陸には約一〇〇万人のアボリジニがいたという。

それが、わずか一五〇年で七万人に激減している。つまり九三%が死滅している。

九三万人のアボリジニたちは、なぜ消え失せたのか?

それは、入植した英国人たちの〝アボリジニ狩り〟の犠牲になったのだ。

つまりはハンティング。ヒマつぶしの〝遊び〟だ。

それで九三万人もの先住民が銃弾を撃ち込まれ、命を落とした。

タスマニア大学でアボリジニ史研究家のクリスティン・ハーマン教授は断言する。

「……イギリスの植民地政策は、じっさいはオーストラリア先住民を大量虐殺するものでしかなかった」

そこで入植者たちに推奨され開始されたのが〝アボリジニ狩り〟という「娯楽」だった。

われわれ日本人は、人間を標的にする〝遊び〟など想像もつかない。

しかし――。ここでユダヤ教の教義を思い起こしてほしい。


「異教徒は〝ゴイム（獣）〟である」


つまりユダヤ教徒にとって、アボリジニはもともと人間ではない。

ただの人間の格好をした肌の黒い〝動物〟なのだ。

そしてキリスト教も異教徒は「神の子でない」「地獄に堕ちる」と教える。

ローマ教皇は「異教徒の国土、土地、生命、財産を奪い、奴隷にすることを〝神〟は許された」と世界カソリック信徒に勅令を出している。

つまりキリスト教も異教徒を人間と見なしてはいない。本質はユダヤ教と同じだ。

だからユダヤ教徒にとっても、キリスト教徒にとっても、オーストラリア大陸のアボリジニは獣でしかない。カンガルーなどと同じ野生動物の一種なのだ。

だから、いくら撃ち殺しても、まったく良心は痛まない。

仕留めたアボリジニの首の数々を堂々陳列

◉頭を切り取り自慢の〝壁飾り〟に

それどころかアボリジニ・ハンターたちは、猟果を競い合った。

「今日は××匹仕留めたぜ」「そうか。俺はその上をいくぞ」

彼らは意気揚々とライフルを肩に原野にくり出す。そうして遠方にアボリジニの姿を認めると、銃の照準を合わせて引き金を引く。倒れれば、ヤッタとガッツポーズ……。

ここまで書いてもあなたは信じられないだろう。

しかし侵略してきた白人たちの間で〝アボリジニ狩り〟は、エキサイティングな趣味として蔓延していたのだ。

証拠がある。写真は、〝アボリジニ狩り〟の〝成果〟を自慢気に陳列している英国人だ。

残酷な壁飾り。ハンティングの猟果に自慢気な白人

それは、まさに堂々たる〝コレクション〟だ。

撃ち殺したアボリジニの首を切り取り、壁飾りとしている。

日本人である我々は目まいがして倒れそうになる。

しかし、この英国人は落ち着き払っている。

まさに彼の猟果を心の底から満喫《まんきつ》、誇示しているのだ。

それは仕留めた鹿などの獲物の首を壁飾りにする感覚と、なんら変わりはない。

◉政府は先住民狩りを黙認した

これほどの非道が英国のオーストラリア入植者の間で平然と行われていた。

じつは英国政府がこれら先住民狩りという大量虐殺を見逃していたからか。

いや、それどころか推奨していたのは、まちがいない。

新大陸を入手するとき、いちばん邪魔になるのが先住民の存在だ。

北米インディアン、南米インディオ、アフリカ黒人……みな同じだ。

現在イスラエル・ガザ戦争でのパレスチナ人も同じ。

欲しい土地の上に住む先住民は、皆殺しにしたい。これが〝やつら〟のホンネだ。

だからオーストラリア大陸を掌中《しょうちゅう》に収めたいイギリス政府は、入植者たちの〝アボリジニ狩り〟を黙認した（というより奨励した）。

つまり政府公認の〝ハンティング・ゲーム〟。撃ち放題、殺し放題……。

原始的暮らしを営むアボリジニたちは、携えている武器といえば槍くらいのもの。これでは白人のライフルに立ち向かえるわけがない。

〝ブラック・ウォー〟ついにアボリジニは決起した

◉タスマニアのアボリジニは壊滅

突然、現れた白人に対して先住民たちは、ほとんど例外なく親切に応対している。

それは遠来の客人をもてなす品性のある高貴なふるまいだ。

前述のように北米インディアン、中南米インディオ……みんな、そうだった。

しかし、この善意にあふれた歓迎への、白人たちの〝返礼〟には血が凍る。

わたしが〝やつら〟を「白い悪魔」と呼ぶゆえんだ。

かれらこそ人間の皮膚を被った〝獣〟である。

友好の善意を裏切られ略奪と殺戮にさらされ、ようやく彼らは「白い悪魔」の正体に気づく。

アボリジニたちもそうだ。理不尽にも白人入植者たちから〝狩の標的〟として狙われる。

温和な彼らの怒りに火がつくのも当然だ。

一部のアボリジニたちは非力とはいえ、白人たちの攻撃に果敢に立ち向かった。俗に伝えられる〝ブラック・ウォー（黒い戦争）〟は、まさに典型だ。

それは一八〇〇年代、オーストラリア大陸南部のタスマニア島で起こった。

ヨーロッパからの入植者たちの殺戮に対して現地のアボリジニたちが武装蜂起した。彼らにとっては生きるか死ぬかの正当防衛であった。

戦いは一進一退のゲリラ戦の様相を呈した。入植者側にも二〇〇人超の犠牲者が出た。しかし蜂起したタスマニアン・アボリジニたちの死者は六〇〇〜九〇〇人にも達した。

この戦闘でタスマニアのアボリジニは、ほぼ絶滅したとみなされている。

以下——。概要を記す。

「……一八二〇年代後半、アボリジニと入植者双方の暴力が激しくなり、治安が悪化したため、ジョージ・アーサー副総督は戒厳令を発し、事実上、アボリジニ殺害を合法とした。そして、一八三〇年後半には、後に〝ブラック・レイン作戦〟と命名される大規模な六週間の軍事攻撃の開始を命令した。この作戦は、二二〇〇人の民間人と兵士が、タスマニア島の数百キロにおよぶ戦線を形成し、入植地に住むアボリジニを南東のタスマン半島に追いやり、そこに永久に閉じ込めることを目的にしていた」（『ウィキペディア』）

◉流刑地での死亡率は七五%

歴史家ニコラス・クレメンツは言う。

「……アボリジニが起こした暴力行為は抵抗運動だ。侵略または占領している敵に対する武力行使なのだ」

つまり彼はアボリジニ蜂起を正当な防衛行為と支持している。

「……それは当初、ヨーロッパ人の残虐行為への報復だった。さらに囚人、入植者、兵士によるアボリジニ女性や少女の誘拐、レイプ、殺人が蔓延したことが動機だ。さらに、一八二〇年代後半から、入植による開拓で狩猟場が縮小し、獲物が姿を消してしまった。また狩猟の危険性が高まり、食料が手に入らなくなった。だから、飢餓に迫まられ入植者の家から食料を奪うようになった」

彼は追い詰められたアボリジニに同情的だ。

他方、白人たちは「恐怖心が高まり、アボリジニを絶滅させることが平和維持の唯一手段」と確信するようになった。

「……アボリジニ側の攻撃は、ほとんどが昼間であり、槍、石、ワディ（棍棒）など、さまざまな武器を使って、入植者や羊飼い、家畜を殺傷し、家や干し草の山、作物に火を付けることもあった。一方、ヨーロッパ人側の攻撃は、主に夜間や明け方、民間人や兵士からなる追跡隊や行動隊がブッシュキャンプで寝ている間を狙って行われた。双方とも女性や子どもが犠牲になることが多かった。一八三〇年以降、アーサー副総督はアボリジニの捕縛と殺害に報償金の支払いを決定。その後、一八二九年からは人道主義者J・O・ロビンソンの協力で、アボリジニに降伏と移送を説得する『友好的』任務が開始された」（同）

これは一種の孤島への〝島流し〟と〝隔離〟であった・しかし疲弊したアボリジニたちは、この〝和解策〟を受け入れた。

次々に投降し、最後の戦いは終息した……。

表は、〝ブラック・ウォー〟（タスマニア戦争）の犠牲者数である。

――流刑地では、収容された多くのアボリジニがすぐ病気にかかり、死亡率は七五％にも達した。

こうしてオーストラリア大陸での民族浄化（皆殺し）は完遂した。

惨劇の記録――
アボリジニ武装蜂起の経緯と結果

経過	アボリジニの犠牲者（推定）	入植者の犠牲者	合計
1823年11月－1826年11月	80	40	120
1826年12月－1828年10月	408	61	469
1828年11月－1832年1月（戒厳令下）	350	90	440
1832年2月－1834年8月	40	10	50
合計	878	201	1079

〝黒い大陸〟アフリカは、奴隷狩り場と化した

◉縦横、人工国境で刻まれた大陸

アフリカ大陸の地図を見ると、奇妙なことに気づく。

各所で国境線が垂直、水平になっている。これは極めて不自然だ。

コンゴ大統領が苦渋に満ちた表情で語る。

「……白人たちが勝手に決め引いた国境線だ。各部族の歴史や伝統や文化は、まったく黙殺された。しかし、我々はこの屈辱を受け入れる。新たな国境を求める争いを避けるためだ」

この演説動画は胸に刺さった。

現在、アフリカ諸国は、かつての植民地の軛《くびき》から解放され独立を果たしている。

しかし、かつての支配の分割線が、そのまま各国国境線として残っているのだ。

「白い悪魔」たちはアフリカでも悪事の痕跡を残している。アフリカは緑なす大陸だ。

しかしヨーロッパの白人たちは、それを〝黒い大陸〟と呼んだ。

白人たちにとって、アフリカ大陸は、奴隷の大量供給地にすぎなかった。

一六世紀以降、大航海時代がもたらしたのは南北アメリカ、豪州、東南アジア……などへの

植民地政策だけではなかった。

もう一つの事業が奴隷貿易だ。

欧州諸国にとって黒人奴隷貿易は、国家的事業であった。

つまりは国をあげての公共事業だったのだ。

ポルトガル、スペイン、イギリス、フランスなど列強各国は先を争って奴隷狩りに邁進した。

大量奴隷を、どこで調達するか？　いうまでもなく〝黒い大陸〟からだ。

「……アフリカ大陸各地から多くの黒人（アフリカ人）が、南北アメリカ大陸・西インド諸島に送られ、現地の鉱山や農園で奴隷として使役された。彼らの人権は認められず、奴隷商人によって商品として売買された。その背景には、スペイン・ポルトガルの新大陸植民地でインディオを酷使したため人口が減少し、労働力が不足したことがあげられる」（『世界史の窓』）

◎黒人は人間ではない。家畜だ

人間を、まるで家畜のように捕まえ、売り買いする。

日本人の普通の感覚なら理解に苦しむ。

しかし、これもユダヤ教の「異教徒は〝ゴイム（獣）〟」という定義から腑《ふ》に落ちる。

キリスト教も同じ。異教徒は人間ではない。地獄に堕ちる存在なのだ。

だからキリスト教諸国は、聖地奪還を合い言葉に十字軍を派遣しているのだ。

イエスの聖地を奪ったイスラム教徒は〝神の子〟ではない。神の敵である。殺戮に値する。

それが十字軍の聖地奪回の大義とされたのだ。

だから〝黒いアフリカ〟の黒人たちは神の子（人間）ではない。野生の獣と同じ。

オーストラリアでアボリジニを狩りの標的としたのと、まったく同じ考えだ。

野生動物を捕獲するのに心を痛めることはない。

同様に野生の黒人を捕獲するのに、躊躇《ちゅうちょ》などいらない。

相手は〝動物〟だ。市場に出せば高く売れる。

〝商品〟がなくなれば、また現地に行って捕獲すればいい。

捕獲した黒人奴隷は、抵抗できないよう手足を鎖で縛られて輸送された。

奴隷狩りも〝アボリジニ狩り〟と同様に白人国家は奨励、推進している。

なにしろ奴隷貿易は欧州列強の各国にとって巨大利益をもたらす国家ビジネスだったのだ。

そこには人道的な迷いもためらいもない。

〝人間〟ではない。〝動物〟の売り買いなのだ。

ためらっていては商売敵に先を越されてしまう。やはり〝アボリジニ狩り〟同様に、ここでも〝狩られる〟側の黒人に対するシンパシィ（同情）など皆無だ。

とにかくキリスト教徒、ユダヤ教徒たちの、その割り切りがエグイ。……恐ろしい。

ヨーロッパ人によるアフリカ奴隷貿易の端緒は一四四一年、ポルトガル人が西サハラ海岸で拉致したアフリカ人男女をポルトガルのエンリケ航海王子に献上した記録が残っている。

以来、四八年までに九二七人の奴隷がポルトガル本国に拉致され連行されている。

では、いったいどれだけの黒人たちが奴隷として捕獲され、売られていったのか？

大規模アフリカ奴隷貿易は一五一五年に始まっている。

それは、リンカーン奴隷解放の一九世紀半ばまで約三五〇年間も続けられた。

気の遠くなる期間、この人身売買ビジネスは堂々と横行していたのだ。

研究者報告によれば、この間に少なくとも一二五〇万人のアフリカ人が奴隷として売買された。さらに奴隷にされた男性、女性さらに子どものうち約三〇〇万人がアメリカ大陸に向かう途中、奴隷船内や移送途中で死亡したという。

つまり約四人に一人――。恐ろしい死亡率だ。

◉〝不良品〟は生きたまま海に投棄

写真は奴隷船（ブルックス号）の内部だ。一目で身の毛がよだつ。

下の写真の黒いものが黒人奴隷だ。身動きすらできない鮨詰め状態で、永い航海は鎖につながれ横になったままだ。まさに、この世の地獄……。

四層構造の船内に押し込められて寝返りすら打てない。そして糞尿は垂れ流し。

生きているのが奇跡といえる。

「……船主は、奴隷を詰め込み、鎖でつなぎ、選択的にグループわけをした。船内の奴隷は栄養不足で残酷な扱いを受け、目的地に到達前に死んでしまう者も少なくなかった。

船旅を終えるには平均一～二カ月かかったが、奴隷たちは裸で数種類の鎖でつながれ、ほとんど動く隙間もなく、寝台の下に寝かされていた。船長によっては、他の奴隷を監視する〝スレーブ・ガーディアン〟を任命することもあった。奴隷の彼らは多くの時間を床板に固定されて過ごし、肘の皮膚は骨まで磨り減るほどであった」(『ウィキペディア』)

さらに病気などで〝不良品〟と判定された奴隷は、生きたまま海に投げ棄てられた。

スティーブン・スピルバーグ監督の映画『アミスタッド』は、奴隷貿易を真っ向から描いて

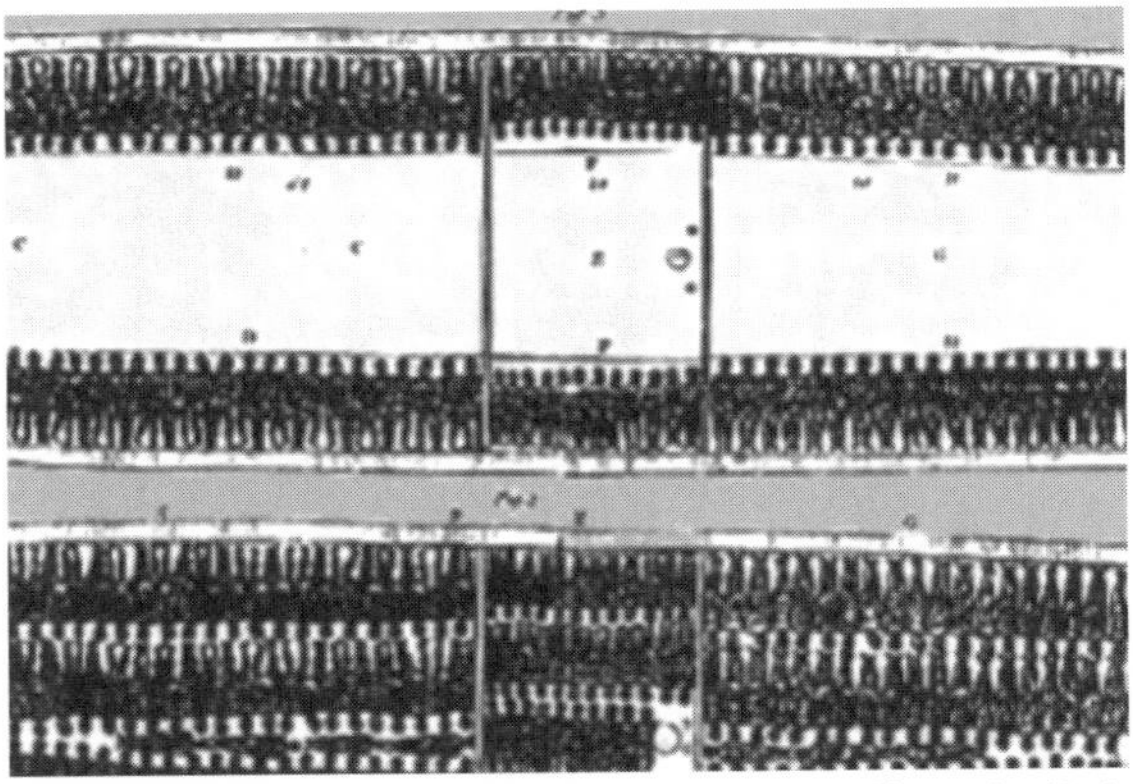
奴隷船の内部。黒人たちは立錐の余地なく並べられ、鎖につながれた

いる。実際に起こった事件を題材にしている。中でも衰弱した奴隷たちが、まだ息のあるうちに鎖につながれたまま海に棄てられるシーンに衝撃を受けた。

あらすじは、拉致されたアフリカ青年シンケは船が遭難した混乱に乗じて反乱を起こし、仲間と船を乗っとる。そして船はアメリカに到着するが、シンケたちは海賊行為の罪で投獄されるという理不尽な展開が待っていたというもの。

◉欧米各国の陣取り合戦

アフリカ大陸の悲劇は、奴隷の草刈り場とされただけではない。

重ねて白人列強が侵略し、ことごとく分割、植民地として略奪したのだ。

一八八四年、ベルリン＝コンゴ会議が開催された。

参加国は米、英、独、仏……など欧米を中心に一四カ国が参加。そこでアフリカの分割統治が決定された。つまるところ〝黒い大陸〟をピザのようにナイフで切り分けたのだ。

こうして第一次世界大戦の直前には、アフリカの独立国はリベリアとエチオピアの二カ国のみとなった。

アフリカ大陸は欧米列強の争奪戦の場と化した。

……アフリカ植民地化を先導したのは英、仏、ポルトガルだ。

英国は一八八〇年代初め、エジプトを占領、保護下に置いた。九九年にはスーダン征服。南部ケープ地域はオランダ植民地だったが、ウィーン会議で英国領となった。ドイツは南西アフリカを植民地に。英国は、さらに中央アフリカへ進出。ボツワナを保護領としジンバブエも支配下に置いた。

イタリアは、紅海に面するエリトリアとソマリランドを獲得。さらに隣接するエチオピアを征服しようとしたが、アドワの戦いで敗北。しかし、その後トルコと戦い、現リビアを奪った。

狡猾な商人も暗躍している。有名な英国人セシル・ローズはアフリカのダイヤモンド・ラッシュに目をつけた。彼はデビアス社を創立し、一八九〇年には、アフリカのダイヤモンド鉱業をほぼ独占した。さらに九〇年代には金山も併合。財力に物をいわせ政治家となった。

一八九〇年、なんとケープ植民地の首相に就任している。

彼はその地に自らの姓を冠して〝ローデシア〟と命名した。

このようにアフリカは欧米各国と野心的資本家たちの陣取り合戦の舞台と化した。

そこで、なりふり構わぬ奪い合いがくり広げられた。

そこでは黒人たちの部族、伝統、文化、歴史などはいっさい考慮されることはなかった。

第3章

高含有率の金鉱脈！悪魔たちは、それを狙っている？

——含有率四〇％……マサカ！〝黄金の国〟は真実か

〝ガセ〟なら大笑い、本当なら金は大暴落？

◉事実なら世界金相場は暴落か

「……佐渡の海底には、含有率四〇％近い金鉱脈があるらしいですよ」

知人の資産家Tさんに言ったら、彼は即座にこう答えた。

「……そりゃあ、『金』が暴落するわなあ」

ナルホド。億万長者の富裕層は受取り方がちがう。

ふつうなら「凄い！　日本は大金持ちじゃん」と興奮して答えるところだ。

この情報を与えてくれたK氏は海外のディープな重要人物にも接している人だ。

その人脈からの情報なので信憑性は高いはずだ。

また「住友金属鉱山の極秘資料には金鉱脈の含有率三六％とあった」というI氏も会社経営者で、さまざまな業界に通じている。

わたしが、これら数字を聞いて思わず吹き出したのには、わけがある。

それは通常、金鉱山の含有率は一％未満である……と見聞していたからだ。

ちなみにネットで検索しても、同様の数値しか出てこない。

◉一トン当たり「金」わずか三～五グラム

Q：金鉱山の金含有率は？
A：「金は通常の鉱山から採掘される鉱石には、一トン当たりわずか三～五グラム。優秀と言われる鉱脈でも、一〇グラム程度しか含まれていません」

――一トンは一〇〇〇キロ。つまり一〇〇万グラム。だからトン当たり一〇グラムとは、〇・〇〇一％に相当する。

関係者にいわせれば含有率三六～四〇％など荒唐無稽《こうとうむけい》で、噴飯ものの数値といえるだろう。

日本でもっとも優良な金鉱山とされるのが鹿児島の菱刈鉱山だ

「……菱刈鉱山は、世界的にも稀に見るほどの金含有量の高さを誇り、一般的な金鉱山の約一〇倍の四〇g／tもの『金』を含む優秀な鉱山です。日本が金鉱山から産出する金は、わずか年間八トン程度で、この菱刈鉱山から採掘されています」（『コメ兵』）

優良金山でも含有率は〇・〇〇四％とは……。

そもそも世界の「金」は、これまでどれほど採掘されてきたのか？

「……鉱山施設の老朽化などが原因となり、近年減少中です。一方、年間生産量一位の中国に埋蔵されていると考えられている金量は、約二〇〇〇トンで、世界の九位という結果です」（同）

ちなみに金の産出量世界一は、中国だ。（二〇二二年）。

「……広大な国土には、まだ未開発の地域がたくさん残っており、近年では新疆《しんきょう》ウイグル自治区で超大型金鉱の存在が確認されるなど、明るいニュースも報告されています」（『おたからや』）

金産出量の世界トップ10は次のとおり。

（1）中国、（2）オーストラリア、（3）ロシア（同率）、（4）カナダ、（5）アメリカ、（6）メキシコ、（7）カザフスタン（同率）、（8）南アフリカ、（9）ペルー、（10）ウズベキスタン

金産出量の推移を見ると、中国、オーストラリア、ロシアが産出量を増やし、アメリカと南アが減少している。

佐渡島は当時でも世界最大級の金山だった

◉なぜ現在、採掘をしないのか？

〝黄金の国〟ジパングのはずの日本で現在、「金」はどれだけ取れているのか。

金や銀、銅や鉄など、日本には多数の鉱山があったが、現在、唯一、商業規模で操業している金鉱山が鹿児島県伊佐市にある住友金属鉱山の菱刈《ひしかり》鉱山だ。

その住友金属鉱山の内部資料に「含有率三六％と書かれていた」とIさんは証言している。

しかし公式発表は〇・〇〇四％。その差は余りにかけ離れている。

いったい、どちらが正しいのか……？

今回、K氏の証言で注目を集めている佐渡島の「金」だが、現在はどうなっているのか。

「……佐渡金山は、一六〇一年に山師三人により開山されたと伝えられています。一六〇三年には、徳川幕府直轄の天領として佐渡奉行所が置かれ、小判の製造も行われ、江戸幕府の財政を支えました。一九八九年、残念ながら資源枯渇のため操業を休止し、四〇〇年近くにおよぶ長い歴史の幕を閉じました」（史跡佐渡金山ホームページ）

しかし、「資源枯渇」を理由に閉山とは解せない。

江戸時代には人力の手掘りのみで採掘し、江戸の大判小判をまかなったのだ。

「……全盛期には『佐渡島の金山』は、世界最大級・最高品質の『金』を生産した世界に類のない鉱山遺跡である。高い『生産技術』により、大量かつ高品質な金の生産を可能とした」（文化庁「佐渡島の金山」）

佐渡島では、最盛期には金四〇〇キロ、四〇トンの銀が採掘されたという。

希少性こそ「金」のもつ最大価値である

◉含有率〇・〇〇一％は正しいか？

ここまで調べて「K氏の金含有率四〇％はガセネタだったか……」と落胆した。

I氏の「住友金属鉱山の極秘資料の含有率三六％」も怪しくなってきた。

しかし、気を取り直す。冒頭Tさんの「本当なら金は大暴落する」という言葉が気にかかる。

「全世界に流通している金をすべて集めても五〇メートルプール三杯程度」と、よく言われる。

つまり、それほど「金」の流通量は少ない――という意味だ。

だから「金」は、その〝希少性〟ゆえに高価格で取引されているのだ。

つまり「金」の価値を決めるのは、その圧倒的な〝希少性〟なのだ。

だから逆に疑問が生じる。日本の平均的な金鉱山のトン当たり「金」含有量は約一〇グラムという。現在、「金」価格は史上最大の高値を付けているとはいえグラム一万円。つまり一トンの鉱石あたり一〇万円。この値段は売値だ。一トン金鉱石を砕いて製錬して、〇・〇〇一％の純金を取り出すには、想像を越えるコストがかかるはずだ。

◉一トン掘って売値は三〇〇〇円以下

史上最高値の現在なら、利益は出るかもしれない。

しかし一九九八年、金価格は一グラム八六五円と一〇〇〇円を割り込んでいた。

普通の金鉱山で鉱石一トンを掘っても最低三グラム。多大な手間、コストをかけて純金に製錬しても売値は三〇〇〇円以下なのだ。

採掘から粉砕、精錬、抽出などの費用をかけて鉱山経営の採算がとれるわけがない。

このように金鉱山の「金」含有率には、いまだ疑問が残る。

さらに、これら数値発表しているのは、「金」関連業者のみだ。

はたして、これら数値は、正確なのだろうか？

「金」も「ダイヤ」も市場操作されている

◉希少性を保つための〝企業努力〟

ここで、ふとダイヤモンドが思い浮かんだ。

「金」と並ぶ宝飾品がダイヤヤである。

やはり希少性が命だ。その価格は、4Cで決まるといわれている。

つまり①「カラット」（重さ）、②「カット」（形状）、③「カラー」（色合い）、④「クラリティ」（透明度）。

それにより億単位で取引されるダイヤも存在する。

しかし、その高価格を担保するのも、その希少性である。

ダイヤが大量に市場に出回ると、価格は暴落する。

石コロのようにザクザクとダイヤが採れたら、その価格は石コロと同じになる。

だから世界市場へのダイヤの供給は、慎重に調整されている。

レオナルド・ディカプリオ主演『ブラッド・ダイヤモンド』（二〇〇六年）という映画がこの内実を暴露している。

内容は一九九〇年代アフリカ。シエラレオネで反政府組織に連れ去られた漁師の男は、ダイヤモンド採掘場で強制的に働かされる。そして彼は大粒ピンク・ダイヤを発見する。しかし、その巨大ダイヤは市場に出ることなく、大手ダイヤ業者に秘匿されるという結末をたどる。そんなダイヤが市場に出たら、価格低下につながるからだ。

つまりは、ダイヤ業界では需給バランスを考えた市場調整が巧みに行われている。希少性を維持し、市場高値を維持するための企業努力だ。その価格調整を指揮しているのがデビアス社だ。設立以来一三〇年、世界ダイヤ市場を一手に支配してきたことで知られる。同様に「金」業界でも市場流出する供給量を巧妙に〝調整〟していることは、まちがいない。

「金」含有率三六～四〇％(!)は都市伝説か?

◉真実暴露は絶対タブーだ

ここで、また再考する。含有率四〇％の金鉱石など、通常は考えられない。「金」採掘業界が発表している数値は、最大で〇・〇〇四％だから一万倍もの大差となる。普通なら一笑にふされるだろう。正気が疑われるかもしれない。

さらに注意しなければならない。高含有率の金鉱脈の存在を明かすことは「金」業界では、絶対タブーである……ということだ。つまりは認めることすらタブーである。

それが業界の暗黙ルールであることは、想像に難くない。

するとK氏やI氏が、わたしに耳打ちしてくれた〝金情報〟も確認を取ることは、ほぼ不可能といえる。

だから仮説、推論で話を進めるほかない。

なんだ、それなら都市伝説にすぎないじゃないか。そのとおり。

だから日本の地下に高含有率の「金」鉱脈が眠っている……という話は一種の都市伝説として受けとめてほしい。

「もし高純度の金鉱脈が日本列島に存在するなら」

という仮定、推論で、これから話を進めていく。

◎金含有率は故意に低く発表されている？

都市伝説でもかまわない。

ただ、日本の金鉱脈が含有率三六～四〇％という〝情報〟を無視するわけにはいかない。

注目すべきはK氏の証言は佐渡島海底の金鉱床だ。

I氏の証言は鹿児島の住友金属鉱山のデータだ。

それは、いまや日本に唯一現存する菱刈鉱山である。

場所は新潟や鹿児島と大きく異なる。

なのに一方は四〇%、他方は三六%。両者ともケタ外れだ。

そして数値は、いずれも近似している。これは、はたして偶然の一致なのか？

これからは想像の域を出ないが、世界の金鉱床は何者かの〝指示〟で、極めて低く見積もられ公表されているのではないか？

その目的は、いうまでもなく「金」の希少価値の保持と演出だ。

デビアス社が全世界のダイヤ需給を調整して、価格維持を計っている。

同じように世界の金相場も何らかの〝裏の力〟が働いていることも、まちがいないだろう。

金相場は、世界金融の中心軸だ。だから〝裏の力〟は世界で金融支配してきた勢力となる。

ならロスチャイルド財閥だろう。答えはかんたんに出てくる。

しかし彼らの拠《よ》り所〝イルミナティ〟〝フリーメイソン〟〝DS〟の三層権力も、明らかに求心力をなくしている。その基盤の欧米各国もまた衰退している。

それが第三勢力BRICS台頭を許しているのも、これまで述べたとおりだ。

脱石油ドルで世界の「金」需要は沸騰している

◉ネサラ・ゲサラ金融改革の嵐

そして――。世界はネサラ・ゲサラ金融改革の真っただ中にある。

かつＢＲＩＣＳが金本位制の新通貨構想を発表した。それを世界八割の国々が支持している。

こうなると、世界が金本位制になだれを打つのはさけられない。

それにともない金の需要は爆発する。求められるのは「金」の大量投入だ。

現時点では、ＢＲＩＣＳ通貨は「資源本位制」となる見込みという。

世界的に供給される「金」総量が限られているからだ。

だから〝ゲサラ〟（世界金融改革）を推進するには、「金」の大量供給が不可欠なのだ。

そんなときに世界全体の金鉱山は、閉鎖が相次いでいるという。

理由が施設の老朽化という。まったく、わけがわからない。

日本もかつては世界最大級の金山、佐渡島を擁していた。

江戸幕府が天領直轄地としたほど、良質な「金」を大量供給したのだ。

それも人力による手掘りだけで、大量の「金」を生産してきた。

なら、最新掘削機などを導入すれば、想像を超える「金」が採掘できるはずだ。

なのに、「資源の枯渇」を理由に佐渡金山も閉鎖されている。

不可解だ。そして日本国内で残るは鹿児島、菱刈鉱山のみ。これもまた不自然だ。

そして、この鉱山は、内部告発で「含有率三六％」という数値が流出している。

◉なぜ「金」鉱山を閉鎖する？

おそらく世界中で「金」鉱山を閉鎖しているのは、〝闇勢力〟が供給を制限して金価格維持を目論んでいるからだろう。しかし中国はディープステートとは真逆の道を進んでいる。

つまりは、〝イルミナティ〟や〝フリーメイソン〟の命令を聞く気などサラサラない。

ロシアもそうだ。だから、これらの国の「金」生産量は急速に伸びている。

両国の「金」保有量は世界トップクラスとなっている。

だからロシアはルーブル金本位制を宣言し、ルーブル価格を急上昇させているのだ。

ロシアの盟友、中国も人民元を金本位制にするのは時間の問題だろう。

このようにＢＲＩＣＳ諸国は、「金」の生産確保に邁進している。

これに対してＧ７は、「金」生産量を制限することで高価格維持を企んでいる。

「金」への対策でもＢＲＩＣＳとＧ７は、まったく真逆だ。

どちらが正しいかは、いうまでもない。

BRICS同様「金」開発に猛進せよ！

◉海底金鉱はロボットに掘らせる

これからは、金力が国力となる。「金」の埋蔵量をごまかすなど姑息《こそく》極まりない。もしも佐渡海底や菱刈鉱山の含有率が正しければ日本にとって、これほどの福音はない。国力をあげて、「金」採掘に邁進すべきだ。

佐渡の海底鉱床といっても、ためらうことはない。

今や産業ロボットの投入は、時代の流れだ。彼らを採掘作業に従事させればいいのだ。イーロン・マスク率いるテスラ社では、すでに超高性能の人型ロボット〝オプティマス〟を完成させている。価格は二万ドルと、おどろくほど安価だ。

同社にならえば、海底鉱山で働く作業ロボットの開発など容易だろう。

今回の佐渡と鹿児島、両金山の高レベル含有率が正しい確証はない。

しかし無視できる情報ではない。これを奇貨として中国、ロシアなどBRICS諸国を見習い、日本も「金」開発に猛進すべきである。

〝闇勢力〟の圧力を恐れて右顧左眄《うこさべん》は見苦しい。
もはや逡巡《しゅんじゅん》のときではない。ここに来て何もしないことが最大の〝失敗〟なのである。

コンゴでは含有率六〇~九〇%の金山発見!

◉再度、情報提供者I氏に確認する

――㈱住友金属鉱山「菱刈金山」の含有率三六%は正しいですか?

I氏は、首を縦に断言した。

「そうです。まちがいありません。だって書類にはっきり書いてましたよ。たしか、株主などにも公開されてますよ」

なら、アメリカからの情報「佐渡海底に含有率四〇%の金鉱脈!」も信憑性を帯びてくる。

さらに、仰天情報が飛び込んできた。

話は、アフリカのコンゴ共和国に飛ぶ。

「……二〇五〇年までに、地球上で金採掘が終了するという報告さえあります。しかし、一部地域では驚きの出来事が続いています。二〇二一年三月、コンゴでの巨大な『金』の山の発見ビデオがソーシャルメディアで急速に広まりました。そのビデオでは、コンゴの南キュヴェト

州にある村に何千人もの人々が集まり、シャベルで決死の覚悟で掘り、貴金属をフルイにかけている様子が映っていた。その後、出土した貴金属を持ち帰り、水で汚れを洗い流すと『金』本来の姿が現れました。……専門家は、この土壌には六〇%から九〇%の黄金が含まれていると推定しています。このような豊富な鉱床は、すぐに何千ものトレジャー・ハンターを引きつけゴールドラッシュを引き起こしました。このことは村の住民にも大きなプレッシャーを与えています。これに対し、地元政府は、この地域での採掘を禁止、職人採掘者やコンゴ軍でさえ、『金』の山からの退去を強制したのです」（「アースベスト」ユーチューブ）

現地の空撮映像が凄い。金を求めて殺到した万余の群衆がひしめきあい、立錐《りっすい》の余地なく山腹を埋め尽くしている。

専門家は、この山の土壌に六〇～九〇%もの金が含まれる、という。なら、掘った土の半分以上が〝金〟ということになる。

これが真実なら、佐渡四〇%、菱刈三六%も比ではない。

真贋《しんがん》は、いまだ不明だが、隠された「金」の〝常識〟が覆《くつがえ》る日も近いのではないか……。

純度60～90%の金鉱山に群がった、
数万人ものコンゴの民衆

第4章 「殺す気」満々……コロナ・ワクチン打ちまくり
――mRNAワクチンの正体は、大量殺人兵器である

「死ぬまで打ちます。〝トドメ〟のワクチン」

◉一九七二年WHO文書の衝撃

「……ワクチンは予防接種を偽装した〝生物兵器〟である」

ＷＨＯ（世界保健機関）の極秘文書が、すべてを物語る。

パトリック・ジョーダンというジャーナリストが一九七二年、暴露した衝撃事実だ。

〝闇の勢力〟は「人類の人口を五億人以下にする」と、一九八〇年に〝宣言〟している（「ジ

ョージア・ガイドストーン」)。

ＷＨＯは、これまでさまざまなワクチンを全世界で強制してきた。

それらの正体と目的は、人類抹殺の〝殺人兵器〟だったのだ。この事実に真っ先に反発するのは医療関係者だろう。それは医学部で習ったことと、まったく真逆だからだ。

「ウソだ！」「デタラメいうな！」。その怒りと困惑は十二分に理解できる。

しかし〝かれら〟が医学部で六年間かけて習った〝現代医学〟自体がじつは、一五〇年以上も昔のカビの生えたウイルヒョウ医学なのだ。

この元ベルリン大学学長は「人間には自然治癒力など存在しない」と広言している。

まさに滅茶苦茶なキチガイ・ドクターなのだ。その狂った〝医学〟なる悪魔教を、全世界の大学医学部で今日も数多くの医学生が熱心に学んでいる。

こうしてマッド・ドクターとマッド教授たちが日々、大量生産されている。

〝かれら〟が学ぶ教育（狂育）の一つがワクチン〝洗脳〟なのだ（参照『世界をだました５人の学者』ヒカルランド）。

◉ゴキブリ以下の生存本能だ

医者のほとんどがワクチン幻想に〝洗脳〟されている。

だから政府や国民、メディアが完全〝洗脳〟されているのも、あたりまえかもしれない。

闇の悪魔勢力だけが、ほくそ笑んでいる。

わたしは、これまでにコロナに関連して六冊の本を書いてきた。

その結論は――**コロナ偽パンデミックの目的は〝人口削減〟**――である。

あらゆるワクチンは〝殺す〟ために打つ。だから〝死ぬ〟のは、あたりまえだ。

「ワクチンを打ったら死んだ！」と驚いている人がいる。

わたしは、そのことに驚いている。

「〝殺す〟ために打ってる。だから死ぬのはあたりまえ」

なんで、こんなカンタンなことに気づかないのか？

わたしは、ワクチンの毒性より〝洗脳〟の恐ろしさに戦慄する。

人間という生き物は、〝洗脳〟によりゴキブリ以下の知性にまで堕ちていく……。

猛毒注射を打って……!!　と懇願する。もはや、その生存本能はゴキブリ以下だ。

ゴキブリたちが腹を抱えて笑っている。

⦿ウイルスとワクチンのマッチポンプ

日本人は本当にだまされやすい。政府、メディアが言えば、コロリと信じる。

何度だまされても、また、だまされる。コロナパンデミックがそうだ。

それは二〇年以上も前から計画されてきた。

しかし、わたしの著書を一冊でも読んだ人は、誰一人ワクチンを打っていない。

たとえば次のように書いているからだ。

「……ワクチンは人工ウイルスとのマッチポンプ。エイズ、SARS、鳥インフルエンザ、これらはすべて人工ウイルス。それをばらまいて次に、〝予防〟とだましてワクチンを強制する」（『ワクチンの罠』イースト・プレス）。

(1) 遺伝子組替え人工ウイルスを広くばらまく。（マッチ）
(2) ウイルス感染恐怖を煽りワクチン強制注射。（ポンプ）

「……究極の目的は〝人口削減〟――世界人口を一〇億人に減らす（アジェンダ21）。ただただ唖然とするばかりです。しかし地球を丸ごと支配するひと握りの〝かれら〟は、堂々とこの計画を採択し、今日もひそかに事を進めています。ワクチンの三大目的は①『感染させる』、②『病気にさせる』、③『早く死なせる』です。まさに生物兵器であり、幼い子どもたちの身体に埋め込む〝時限爆弾〟そのもの。めまいがするような話ですが、決して信じられないことでは

ありません。なぜなら〝かれら〟は、私たちを人間とみなしていない。はやくいえば、家畜を屠殺する感覚なのです」（同書）

〝闇勢力〟は、〝かれら〟以外の人類を〝ゴイム（獣）〟と呼んでいる。

わたしは『コロナの、あとしまつ』（共栄書房）に以下のように書いた。

――コロナ・ワクチン自体が、〝人口削減〟の生物兵器である証拠と証言は数多い。

……新型コロナ・ワクチンは、『世界〝人口削減〟計画』（グレートカーリング）の一環という指摘だ。

「著名な精神科医リマ・ライボウ氏によると、『グレートカーリング』では、世界人口の九〇％の削減が計画されている。手始めは、世界的パンデミックを起こし、予防接種を行き渡らせることだ。その予防接種は不妊も蔓延させ、大規模なホロコースト（大量殺戮）に導く」（サイト「TOKANA」）。

その他、〝人口削減〟の〝陰謀〟をあげていけばキリがない。

▼米国政府の内部文書も「八五％〝人口削減〟」と明記していた（ベンジャミン・フルフォード証言）。

▼WHO極秘文書で「ワクチンを偽装した生物兵器を開発」と明記（P・ジョーダン、前出）。

▼「ワクチンで人口一〇～一五％削減できる」（〝イルミナティ〟中枢人物ビル・ゲイツ）（中略）コロナ・ワクチンの全人類への強制で、〝やつら〟は最終目的の人類大量殺戮に着手してきた。人口大幅削減は、もはや〝陰謀〟ではない。それは、誰の目にも明らかな〝殺戮〟だ。なのに、新聞やテレビは『ワクチンをめぐる〝陰謀論〟にだまされないで……』と繰り返す。読者を〝洗脳〟するウソ情報を大量にばらまき続けている。

（引用以上）

七回、八回も接種！　世界でバカ正直な日本だけ……

◎〝感染者〟〝ワクチン被害者〟激増

イーロン・マスクは、ツイッターに次のように投稿している。

「……日本では、出生数の2倍の人数が、コロナ・ワクチンで殺されている」

日本の出生数は、約八〇万人。だから、すでに「一六〇万人がワクチンで殺された」とテスラのCEOは、暴露しているのだ。

七回、八回もワクチン注射しているのは日本人だけだ。

そしてコロナ〝感染者〟数も断トツなのだ。

「……打てば打つほど感染する！　世界で疑われ始めた『ワクチンの効果』」

これは、『女性セブン』（二〇二三年二月九日号）の見出し。

メディアも、ようやくワクチンの悪魔性に気づき始めた。

しかし――、あまりに遅すぎる。それに、まだまだ、だまされている。

「……なぜ日本ではコロナ禍が終わらないのか――その謎を解くカギが『ワクチン』だ。日本は、『ワクチン接種回数』と『感染者数』がともに世界最多の国であることを忘れてはならない」

同誌は「本来、接種が進めば感染はストップするはず」と首をかしげる。

「……日本は週間『感染者』数が二〇二二年一一月から一〇週連続で世界最多」と驚いている（WHO統計）。さらに「今年に入ってからも一月一一日までの一週間は（感染者は）一一八万二三二人で、二位のアメリカ（約四六万人）と二倍以上の差がある」

「……アメリカCDC（疾病予防センター）の研究者が三三万人を調査したところ、未接種、二回、三回、四回とワクチン接種回数が増えると感染率が二九％、三三％、三八％、四一％と高くなり、ワクチンを打つほど新型コロナにかかりやすくなることを証明しました。実際、現時点で感染が増加しているのは接種を続けている一部の国だけ」（同誌）

◉〝感染者〟でなくワクチン〝犠牲者〟

まさに「打てば打つほど感染する！」と『女性セブン』は驚きを隠せない。

しかし、ここで同誌は、四点かんちがいをしている。

「コロナ死」と「ワクチン死」は、そっくりだ。

だから〝やつら〟はワクチン死をコロナ死にすりかえている。

真実は以下のとおり。

(1) WHO発表〝感染者〟には、ワクチン〝被害者〟も含まれている。
(2) 新型コロナウイルスはもはや存在しない。変異型が流行している。
(3) 変異型は猛毒ワクチンで通常コロナウイルスが突然変異で凶暴化。
(4) 感染症で第二波、三波……などは存在しない（M・イードン博士）。

そもそもWHOの正体は、今回コロナ偽パンデミックを拡大させた〝司令本部〟だ。

CDC（米疾病予防センター）は、その実行組織だ。

「コロナの陰謀」を企み、人類に仕掛けた悪魔たちが真実を公表するわけがない。

〝やつら〟は猛毒ワクチンの物凄い数の「犠牲者」たちを隠蔽している。

これらワクチン被害者を、すべて新型コロナ〝感染者〟にでっちあげて公表している。

世界中のメディア、政府は、その巧妙な〝嘘〟にだまされている。

コロナ・ワクチンの謎に切り込んだ『女性セブン』の勇気ある報道には拍手を送りたい。

しかし情報源をＷＨＯ、ＣＤＣに頼っているため、巧妙に〝やつら〟にだまされているのが、残念だ。

日本はワクチン接種回数も〝感染者数？〟も世界断トツ

◉感染でなくワクチン犠牲が激増

同誌は「日本は世界最多の感染者数」と紹介している。グラフは「ワクチン接種回数でも一位」。まさに「ワクチン接種回数一位」の日本は、〝感染者数〟でも断トツ。

だから「ワクチン接種が、（新型コロナ）〝感染者数〟を増やしている」と警告しているのだ。

このグラフを見れば、これまでワクチン注射の行列に並んで七回、八回も打った人たちは、あぜん呆然だろう。

「……ワクチン打つほど、新型コロナ感染は増えてるじゃないか！」

ここでも悲しいかんちがいがある。この〝感染者〟のほとんどは、ワクチン副作用の〝犠牲

日本は世界最多の"感染者"数（その正体は"ワクチン副作用"だ）

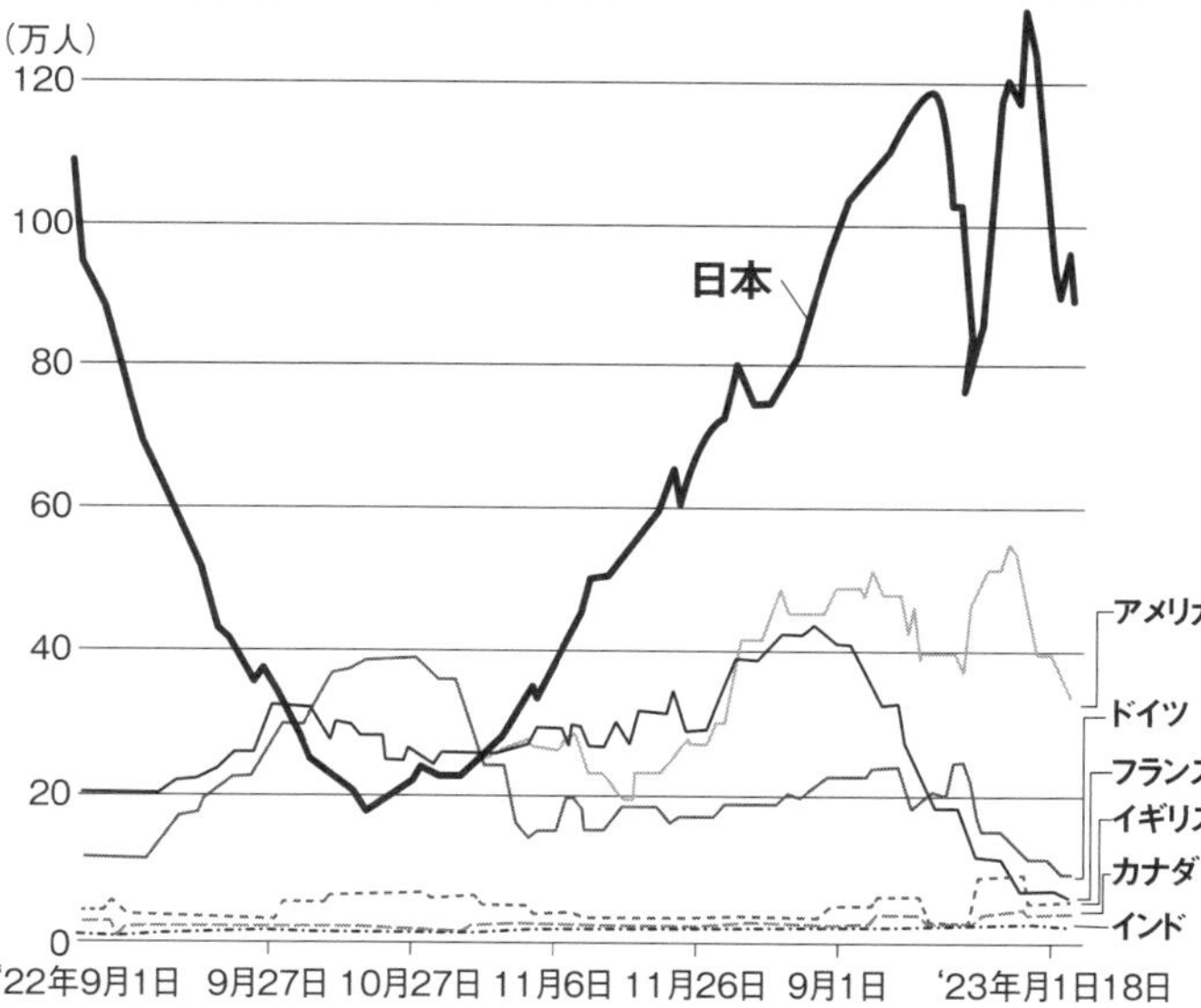

ワクチン接種回数でも1位（"やつら"は、日本人を殺す気満々だ）

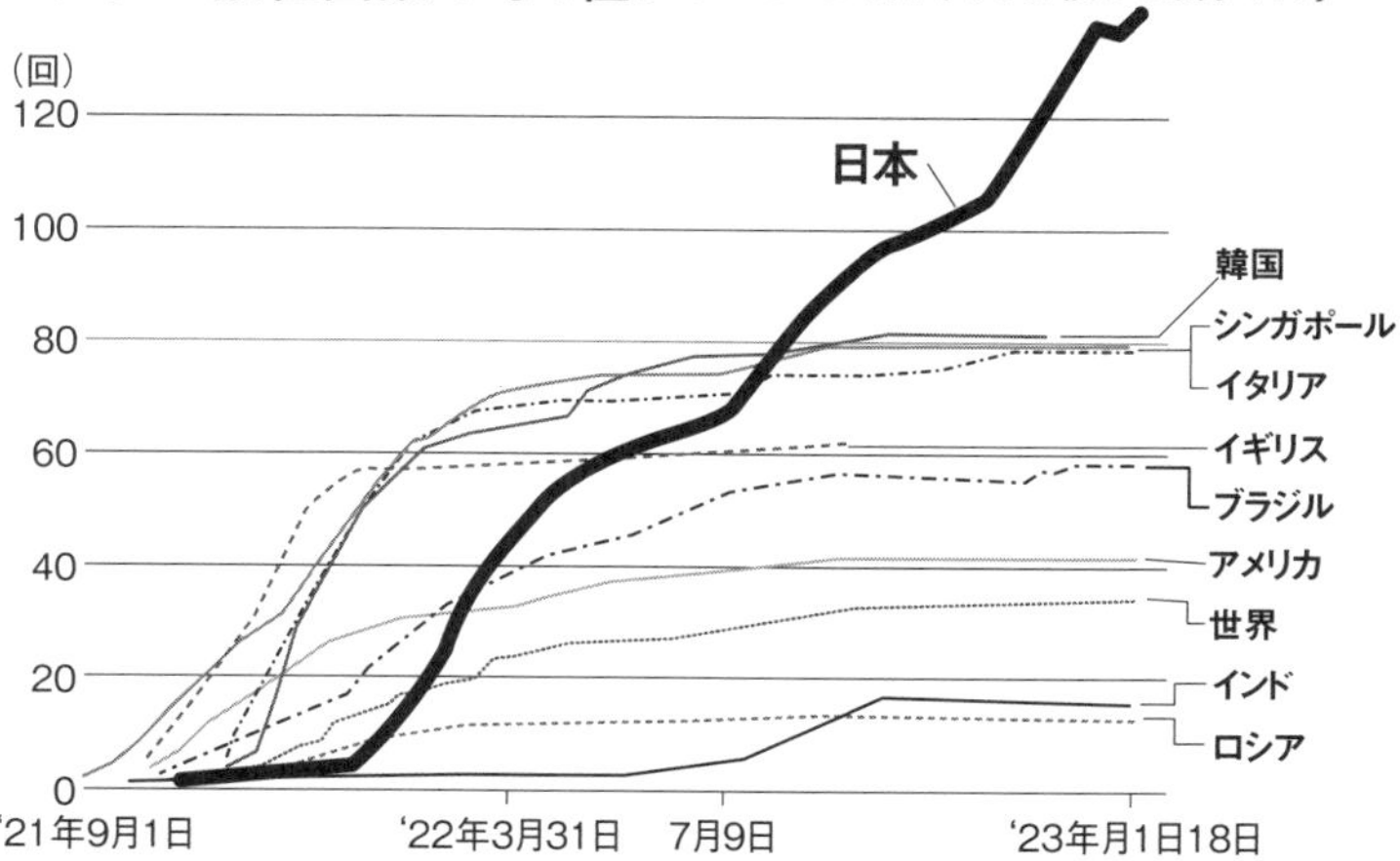

〔上〕グラフの数値はその日に確定した過去1年間の累積感染者数、'22年11月頃から日本は感染者数が世界一に。〔下〕人口100人あたりのコロナワクチン追加接種回数

（ともに「Our World Data」をもとに女性セブン作成）

者〟なのだ。
「……第七波では、未接種者よりも接種者の方が多く感染していた」（同誌）
「新型コロナ第七波」など存在しない。
「多く〝感染〟していた」のではなく「ワクチン副作用の〝被害〟が多発している」のだ。
「……三回目、四回目はワクチンを打ち始めてから〝感染〟者が増えたことが時系列から見ても明らか」「なぜワクチンを打つほど、新型コロナに〝感染〟するのか？」（同誌）
これも、こっけいなかんちがいだ。もはや新型コロナウイルスは地球上に存在しない。流行しているのは、コロナ・ワクチン注射刺激で凶暴化した野生のコロナウイルスたちだ。デルタ株とかオミクロン株とか、数えきれない。これらは、ワクチン接種しなければ、出現することはなかった（リュック・モンタニエ博士）。
ワクチン接種が二番手、三番手の鬼っ子ウイルスを生み出し、爆発的に流行させたのだ。

ワクチン打つほど副作用群が大爆発増！

◉ワクチン副作用を感染症状にすりかえ

「……ワクチンを三回以上接種した人は、未接種者の三・四倍、二回目接種者の二・六倍、

〝感染〟率が高くなる」（『ウォール・ストリート・ジャーナル』）

ファイザー社の内部資料によれば、ｍＲＮＡワクチン副作用「症状」は約一三〇〇以上。

倦怠感、頭痛、食欲不信、めまい……など。

それらはコロナ感染症とほとんど重なる。だから悪魔たちはｍＲＮＡワクチン副作用を、コロナ感染症状にすりかえている。この単純テクニックに世界中の政府まで、だまされている。

「……世界各国のワクチンに対する評価は、様変わりしている。その典型が世界に先駆けて接種を進め、ワクチンの先進国と称されたイスラエルだ。『ワクチンを打っても抑制効果は不透明』。昨年イスラエル政府はそう表明し、四回目以降の追加接種をほとんど行わなくなった。イスラエル保健省によると、昨年一二月段階で国民半数が三回目を終えたが、四回目は一割にとどまる」（同誌）

いわば、偽パンデミックを推進する悪の巣窟の一翼を担う同国ですら、この有様。

◎プーチンｍＲＮＡワクチン廃棄命令

日本だけが七回、八回……と、打ち続けている。

なぜか？

答えはかんたんだ。〝やつら〟のホンネは「死ぬまで打ちます。トドメのワクチン」。

推進側のイスラエルですら国民が猛毒ワクチンに気づき、強制接種にストップがかかった。

悪魔のＤＳ国側に対抗するＢＲＩＣＳ諸国は、さらに反ワクチンが顕著だ。

「……イラクやヨルダン、リビアなどの中東やアフリカ諸国ではワクチンを購入していません。ウクライナとブルガリアなど東欧諸国も接種率が低い」（同誌）

ロシアのプーチン大統領は、国内すべてｍＲＮＡワクチンの廃棄を命じた。

アンチＤＳ側に立つプーチンは、ｍＲＮＡワクチンが国民を攻撃する生物兵器であることに気づいたのだ。国民の命を奪う殺戮兵器の廃棄は、当然の措置だ。

なのに日本の岸田首相は子どもにまで、この殺人兵器を打たせようとしている。

まさに彼我は雲泥の差である。

スパイク・タンパク血栓症が万病を引き起こす

◉〝ターボ・ガン〟急死が続々

ｍＲＮＡワクチン副作用の典型が血栓症だ。

体内で増殖するスパイク・タンパクが血管内皮に凝集して血栓を形成する。

人体血管の九五％は五〜二〇ミクロンの毛細血管だ。それに血栓ができる。

すると、末梢循環障害が起こる。つまり体細胞や臓器が酸素・栄養欠乏に陥る。

ドイツの生理学者オットー・ワールブルク博士は「細胞を酸欠状態にすると一〇〇％ガン化する」ことを発見し、ノーベル賞を受賞している。

mRNAワクチンは、元凶の血栓症を多発させる。それだけでなく免疫力を低下させる。その二重副作用により接種者にガンが多発している。

それは、急速に成長することで〝ターボ・ガン〟と命名された。車のターボチャージャーを付けたように爆発的に急成長して、接種者をアッという間に死なせる。

◉免疫異常、不妊、異常出産、急死

「……スパイク・タンパクが体内に出現すると、全員の免疫機能がそれを〝敵〟とみなして攻撃する可能性があるため、生来の免疫機能に支障を起こす恐れがあります」（吉野真人医師、『女性セブン』前出）

つまりコロナ・ワクチンは免疫を高めるどころか混乱させるのだ。

その他、ワクチン後遺症には、さまざまな「症状」がある。

ワクチン自体が毒物注射なのだから、あたりまえだ。

「……うつや自律神経失調症、記憶力低下やめまいなどの神経機能の異常は、スパイク・タン

パクによって免疫異常が生じ、神経組織に炎症が起きることで引き起こされる可能性が大きい」（吉野医師）

スパイク・タンパクは、女性の卵巣も攻撃する。

マウス実験では、ワクチン接種後、卵巣に高濃度で長くとどまることが確認されている。

すると、スパイク・タンパクを標的とする免疫機能が自らの卵巣を〝攻撃〟してしまう。

いわゆる自己免疫疾患。これもワクチンで狂った免疫機能の恐ろしさだ。

つまりスパイク・タンパクが卵巣に蓄積すると、不妊になったり出産異常を引き起こす。

〝闇勢力〟は、人類人口を五億人以下にすると告知している。

mRNAワクチンが人口削減も目的にしていることが、よくわかる。

婦人科医は「現場では被接種女性に異常分娩《ぶんべん》や流産、死産の報告が相次いでいる」という。

日本人、大量ワクチン大爆死がついに始まった

◉皆殺し作戦で犠牲者激増……

ついに——日本人、大量ワクチン死が始まった。

猛烈なスピードで、バタバタと死んでいる。いや、〝殺されて〟いる。

二〇二二年一月から八月だけで、二〇二一年より死者数が七万一〇〇〇人も増加している（厚労省「人口動態統計」）。

その二〇二一年もまた、前年比で死者六万七〇〇〇人増と戦後最大の増加だった。

二二年はわずか八カ月で前年増加分を追い越した。

増加ペースもすさまじい。

二二年二月は前年より約一万九〇〇〇人増、八月は約一万八〇〇〇人増である。

「……二〇一一年の東日本大震災による死者は、約一万六〇〇〇人だったことを考えると、大震災に匹敵する〝災害〟が二度も発生した計算になる」（『女性セブン』二〇二三年一月五～一二日号）

二〇二〇年からワクチン接種が始まるや、二〇二一年、二二年、二三年……と年を追うごとに〝死者〟が激増している。とくに二〇二二年後半から死者（犠牲者）が恐ろしい勢いで増えている。一二月には約一六万人が死亡。二〇二〇年は一三万人弱だから、一カ月で三万人近く死者が急増している。

さらに恐ろしいのは二三年一月の突出ぶり。約一七万人と二〇年より五万人も多い。

◉目をそらし口をつぐむ売国奴

それもワクチン接種直後に死者数が激増している。

二二年、二月、三回目接種で増加！　さらに八月、四回目接種で増加……。

つまりワクチン接種で日本人は、大量殺戮されている。これほど明快な証拠は他にない。

見事に接種者が増えると、超過死亡も増えている。

二回のワクチン接種ピークが死者数ピークを作り出している。

さらに二〇二三年一〇月、自治体の死者数（前年度比）を見る。

仙台市七・八七％、京都市五・〇六％、横浜市にいたっては九・八八％も二二年から死者数が激増している。

横浜市は、わずか数年で年間死者が二七四三人から三五一二人へ三割近くも増えている。

これらはワクチン大量殺人の決定的証拠だ。

これだけの証拠がありながら、政府も学界もメディアも、そして野党すらワクチン大量殺戮に触れようとしない。

見て見ぬふりをする。目をそらす。ただただ信じられない。

この連中は、たんなる馬鹿なのか。愚鈍なのか。白痴なのか。

いや、そうではあるまい。

〝かれら〟は恐れている。日本を〝ハイジャック〟した悪魔勢力を畏怖《いふ》しているのだ。政治家も学者もマスゴミ人も、すべてそろって卑怯卑劣な売国奴に成り下がっている。
わたしは〝かれら〟を腹の底から唾棄ケイベツする。

◉「予想死亡」「超過死亡」のペテン

「……ワクチンはコロナ対策の切り札と称賛され、国を挙げての接種推進が繰り広げられた。国民の命を救うはずのワクチンを打つことがなぜ、死者の増加を招くのか？」（『女性セブン』前出）

同誌もまた、あまりにも純朴だ。あまりにも無知だ。

さらに「超過死亡」にもカラクリがあった。

それは人口動態統計から算定しているかと思いきや……。

「超過死亡」を算定する組織が存在していた。

それが国立感染症研究所だ。

ここでは、まず来年度、各月ごとに「予想

ついにワクチン大爆死が始まった……

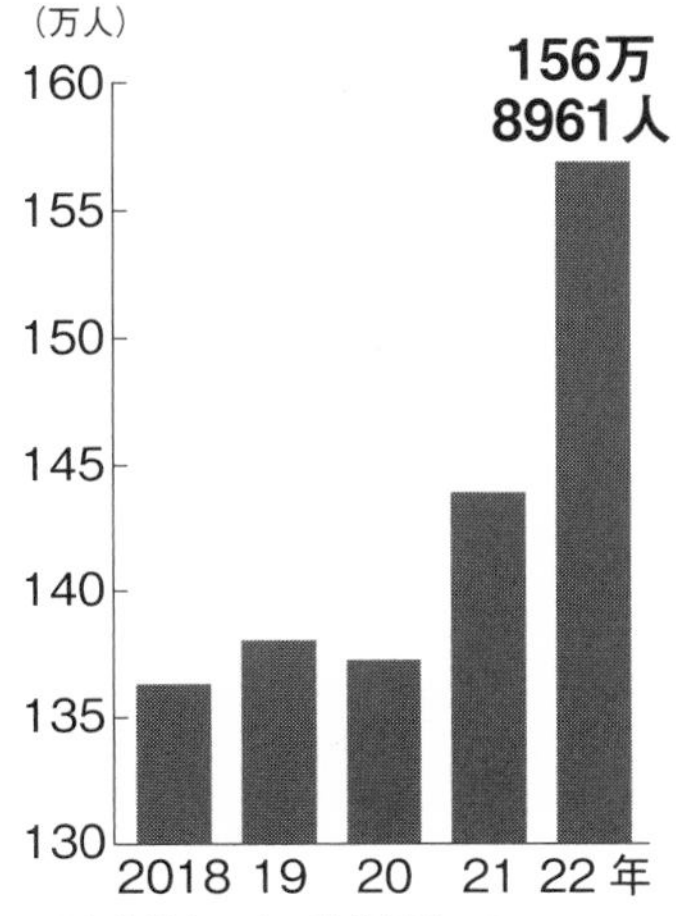

※厚生労働省の人口動態統計から

死亡」数を策定する。そして、その年の各月の死亡人数が「予想死亡」を超えたら、その差を「超過死亡」として発表しているのだ。

これは、まさにペテンのきわみ。多めに「予想死亡」を決めておけばよいのだ。

すると「超過死亡？　出ていませんよ」と、とぼけることができる。

まさに姑息なごまかしだ。だから政府発表の「超過死亡」数は、まったく信用に値しない。

「ワクチンは〝人口削減〟生物兵器である」（WHO）という驚愕事実を知らない。

だから素朴に疑問を投げかけているのだ。いまだ日本人は、〝お花畑〟の住民なのだ……。

「三回目は打たないで」WHO責任逃れ始まる

◉健康な成人、子どもに推奨しない

WHOは、これまで「全世代でのワクチン〝追加〟接種」を推奨してきた。

ところが二〇二三年三月二八日、おどろきの発表を行った。

「……『健康な成人』と、『すべての子ども』について、三回目以上の接種を『推奨しない』」

（WHO、テドロス事務局長）

まるで、これまでの真逆だ。まさに手のひら返し。

郵便はがき

料金受取人払郵便

牛込局承認

9026

差出有効期間
2025年8月
19日まで
切手はいりません

162-8790

東京都新宿区矢来町114番地
神楽坂高橋ビル5F

株式会社ビジネス社

愛読者係行

ご住所 〒 TEL: ( ) FAX: ( )			
フリガナ お名前		年齢	性別 男・女
ご職業	メールアドレスまたはFAX メールまたはFAXによる新刊案内をご希望の方は、ご記入下さい。		
お買い上げ日・書店名 年 月 日 市区町村 書店			

ご購読ありがとうございました。今後の出版企画の参考に
致したいと存じますので、ぜひご意見をお聞かせください。

書籍名

お買い求めの動機

1　書店で見て　　2　新聞広告（紙名　　　　　　　　　　）

3　書評・新刊紹介（掲載紙名　　　　　　　　　　）

4　知人・同僚のすすめ　　5　上司・先生のすすめ　　6　その他

本書の装幀（カバー），デザインなどに関するご感想

1　洒落ていた　　2　めだっていた　　3　タイトルがよい

4　まあまあ　　5　よくない　　6　その他(　　　　　　　　　　)

本書の定価についてご意見をお聞かせください

1　高い　　2　安い　　3　手ごろ　　4　その他(　　　　　　　　　　)

本書についてご意見をお聞かせください

どんな出版をご希望ですか（著者、テーマなど）

日本政府は、それまでＷＨＯに盲目的に追随してきた。

つまり「三回目以降のワクチン接種」を「努力義務」としてきた。

実質的〝強制〟である。だから大半の国民は三回目以降の接種に「努力」「義務」で従った。

その結果――。日本人一人当たりの平均接種率は三・一回もワクチン注射を受けている。わたしのように、まったく打ってない人もいる。

だから六回、七回……と、けた外れの人もけっこういる。

韓国の平均接種率約二・五回、ドイツ二・三回、英国約二・二回を引き離し、世界一のワクチン接種大国となってしまった。

◎二枚舌の手のひら返し

そこに突然、降ってわいたＷＨＯの豹変。実質「三回目は打つな」と表明しているのだ。

「いまさら『子どもや若者はワクチンを打たなくともいい』と言われても、とり返しはつかない。必要ないとわかっていたら、子どもや孫には打たせなかったのに……」

悔やむ主婦（七三歳）の嘆きだ。彼女の後悔は痛切だ。

「……全国旅行支援を使う必要から、一九歳の孫に三回目の接種を受けさせた。ところが接種後、下半身にシビレが出るようになった。その後も孫は座骨神経痛を患ったままで、日常生活も送れない状態です」

WHOの〝裏切り〟に、『女性セブン』（前出）も怒りをかくさない。

「……これは、いささか奇妙ではないか。WHOは新方針の中で、念押しするかのように『ワクチンは安全かつ有効』と記載している。しかし『何回打ってもだいじょうぶ』なら、わざわざ『推奨しない』と表明する必要などないはずだ」

WHOは〝悪魔勢力〟の一翼である。同誌は、そのことに、まったく気づいていない。

藤沢明徳医師は同誌で疑問を投げかける。

「……WHOはワクチンに何の問題もなく、高い効果があるなら、こうした発表をする必要はないはず。子どもや若者への接種リスクはわかっていて、何か起きた時の『責任逃れ』として、こんなことを言い出したのではないか」

そのとおり。WHOは偽パンデミックの裏の司令本部だ。

目的はワクチンによる人類皆殺し作戦だ。猛毒ワクチンの〝効果〟が表れ、世界中でバタバタ死に始めた。そこで〝責任逃れ〟で「子どもに不要」「三回目は打たなくてよい」と幕引きを計った。

三回、四回……と打たなくても、〝人口削減〟の殺人効果は十分と判断したのだろう。

じつは二〇二一年九月、FDA（米食品医薬品局）ワクチン研究・審査局長だったM・グルーバー氏はWHO所属科学者たちと「三回目接種は不必要」という論文を発表している。「三回目接種は効果が不十分というデータが出ており、次々にワクチン副反応が続出していた。だから追加接種に反対した。ところが我々の意見は無視され、追加接種に猛反対した私はFDAを離れた」

つまり二年前はWHOやFDAは三回目接種を猛烈推進していたのだ。

その後の雲行きで世界的にワクチン接種者の犠牲が爆発的に増えてきた。

そこで、責任逃れを始めたというわけだ。

八・八億人分！　ワクチン在庫のニッポン

◉接種直後に二〇〇〇人超急死

「……ワクチン注射直後に急死した」

そんな悲劇、惨劇が全国的に猛烈に多発している。

なんと二〇二三年末時点で、厚労省はコロナ・ワクチン接種で死亡した三二〇超の犠牲者遺族に四四〇〇万円賠償金を支払っている。

少なくとも政府は、これだけの犠牲者がワクチン死であることを認めている。

この数字はいまだ表沙汰にならない。

それは、賠償金交付の引き換えに口止めしているからではないか？

他方で厚労省は「ワクチンにリスクはあるがベネフィットが上回る」と詭弁《きべん》を弄《ろう》している。

ところがｍＲＮＡワクチンは新型コロナ感染症に、まったく防止効果がない。

それはファイザー社が公表したデータからも判明している。

ウィスコンシン医科大学名誉教授の高橋徳医師が同社の詐欺行為を完膚なきまでに暴いている（『コロナ・ワクチンの恐ろしさ』成甲書房）。

同社が記者発表した「九〇倍以上の防止効果」とは、数字のトリックを使った子どもだましの悪質な詐欺だった。

◉〝殺し〟の厚労省は在庫処理で打つ気満々

厚労省はワクチンメーカーの詐欺行為を知りながら「メリットはある」と言い続けている。

政府は悪魔勢力に完全に〝ハイジャック〟されている。

ＷＨＯは「三回目は推奨しない」「子ども・成人に接種は必要ない」と公表。

これを受けて厚労省も「努力義務」を解除するのか？

「ＷＨＯ声明と矛盾はない。安全性も問題ない。今後は感染症の状況や変異、ワクチン供給状

況を見ながら専門家の意見をもとに接種していきたい」（厚労省）

厚労省はいまや殺人鬼集団と化した。

二〇二三年五月八日、新型コロナが「感染症法」でそれまでの「二類」から「五類」に移された。

正体はもともと季節性インフルエンザと同レベルの感染症だったのだ。

わたしは当初から「新型コロナの致死率は〇・一％以下でインフルエンザより弱い」と指摘してきた（『コロナと5G』共栄書房）。

だからロックダウンとかマスク強制自体がまったくのコメディだった。

しかし、お人好し日本人はコロリとだまされた。

腰の引けたＷＨＯにくらべて、厚労省はいまだ〝打つ気〟いや〝殺す気〟満々だ。

「……今後も時期を区切って追加接種が続けられることが決まっている。高齢者や医療従事者などは、五月八日から接種が開始され、九月にも再度接種が呼びかけられる。健康な人にも、九月以降の接種が実施される予定だ。多い人では二三年度中に六回目、七回目の追加接種をすることになる。接種費用は引き続き無料」（『女性セブン』前出）

あのＷＨＯですら「打つ必要なし」と言っている三回目以降も、日本政府は「打つ気満々」なのに、わけがあった。次の証言は衝撃的だ。

「……厚労省は昨年までに、製薬会社四社とワクチン八・八億回分の供給契約を結んでいました。すでに約一兆四五七億円を支払っている。全国民にワクチンを打たないと在庫がはけない」（全国紙政治部記者）

WHOだけでなく世界中の国々は、ワクチンの危険性に気づき追加接種をやめた。

そして日本だけが「在庫処理」で国民に八回、殺人ワクチンを打たせ続けるという。

◉国民〝皆殺し〟七つの大罪

厚労省こそが日本国民〝皆殺し〟の実行部隊だった……。

ただただ、呆然とする。日本政府は、これまでに、あの手この手で追加接種を推奨してきた(1)〜(7)。その大量殺人の大罪をさらに突き進めていく……という。日本民族の終わりは近い。

(1)「全国旅行支援」：追加接種を条件にした。

二二年秋から旅行代金の最大四割相当が割引されたが、追加接種を受けない人は排除した。

(2) 無料接種の延長：二四年三月末まで無料接種が延長された。

持病などがある人は二三年五月以降と九月以降。健康な人は二三年九月以降に接種することが推奨されている。

(3) 青学陸上部監督CM：箱根駅伝で優勝した原晋監督がワクチン推奨CMに出演。

三回目、接種の様子が撮影され放映された（アホはそこまでやるか！）。

(4)「北の打ち師達」CM：登録者一一八万人ユーチューバーを起用し、若者たちを〝洗脳〟し、接種を促進した。

(5)岸田総理も接種CM：総理自身が追加接種を受ける様子をCM配信した。画面には腕まくりして「私も四回目接種を受けました」の字幕。（中身は生理食塩水だろう）

(6)WCサッカー監督CM：ワールドカップ日本代表チーム森保一監督も接種を呼び掛け（させられた）。二三年二月、「今できることを考えよう」「積極的にご検討ください」。一方で接種したプロスポーツ選手がバタバタ死んでいる（登場する人の頭の中身は？）。

(7)「ワクチン・バス」派遣：移動式接種会場（ワクチン・バス）を派遣する自治体も現れた。

かくして、この悪魔スケジュール推進の成果は――。

接種率――①一回目目七八％、②二回目七八％。③三回目六九％、④四回目四六％、⑤五回目二四％（デジタル庁HPより二〇二三年四月）。

ああ……一億人、地獄へ向かってまっしぐら。日本民族の滅亡は近い……？

悪夢！　レプリコン・ワクチンと国際保健規則（ＩＨＲ）

◉戦争末期とそっくり日本の危機

「……レプリコン・ワクチンと国際保健規則（ＩＨＲ）は、二〇二四年、戦慄の悪夢です」

怒りの告発は、大阪市立大学名誉教授、井上正康氏。

教授は、今の日本は「第二次大戦末期と酷似している」という。

「……長崎、広島に原爆が落とされたのに、本土決戦なんて言ってた。『欲しがりません勝つまでは!!』。食うものすらないのに〝勝てる〟と思っていた」

これは「真の情報が、まったく伝わっていなかった」悲劇という。

そして――。今、同じ悲劇（喜劇）がくり返されようとしている。

それが、レプリコン（自己増殖型）・ワクチンと国際保健規則（ＩＨＲ）の脅威だ。

井上教授は、その危険性に医者すら「気づいていない」という。

「……まず、自己増殖型ワクチン。（打つと体内で）自分で増幅するんですよ。（シェデング毒性二〇倍！）さらにＩＨＲ国際保健規則も、止めなければならない。しかし、止める期限が昨年一一月三〇日。そこで、第一回目パスする権利を、日本国家として放棄している。逆に積極的にそれをG7などで進めている。日本政府、岸田政権の意向で、厚労省、外務省もバレないよう、全部、先に先にやっている。（内容は）国会議員と国民だけが知らされてない。それを立憲民主の原口一博議員が『もう、超党派でやらなければ、日本が本当に滅びる』と、議員連盟を一一月一五日に発足させた。そのとき外務省、厚労省が、まったくデタラメをやってることがわかった。議員たちも『これは、ほっといたら自分の首まで締まる』と気づいた」

国際保健規則（IHR）とは〝保健〟を旗印に人類の全人権を弾圧する〝陰謀〟だ。〝闇勢力〟（DS）が、人類を〝家畜〟として支配する。

その〝武器〟となるのがIHRとパンデミック条約なのだ。

でっちあげ偽パンデミック、コロナ騒動のあの悪夢を忘れてはならない。

〝やつら〟が企む人権弾圧は、さらに恐ろしいものになる。

◎外堀は二つとも埋められた

「……二〇二四年五月、日本分け目の〝関ヶ原〟になります。IHRの改正で基本的人権がなくなる。二〇二三年春、日本版CDC（疾病予防センター）が設置され、九月一日、感染症危機管理統括庁ができた。トップが元警察庁長官ですよ」（井上教授）

まさに、警察国家からファシズムへ、まっしぐら――。

「……パンデミック条約は、三分の二加盟国により、過去二回否決。ところが、IHRは単純過半数。たとえば二〇〇カ国加盟国で招集したら五〇カ国しか集まらなかったら、裁決で二六カ国〝賛成〟なら通ってしまう。参加しなかった国は〝賛成〟とみなされる。そして、IHRの中身は何回も書き替えられてる。最後の意見が書かれるのは二〇二四年四月ギリギリ。翌五月、国に最終判断させる。一種の国際条約を一カ月で世界中が決められるはずはない」

◉情報こそ重要な「生存の武器」

「……今、世界中の国々が目覚めて、WHO脱退表明へ国民の民意を集めている。フィリピンもニュージランドもIHR完全反対。フットワークの早い国々が、どんどん反対している。ひょっとしたら、日本は最後まで船に乗り遅れる可能性がある。それが、今の岸田政権と厚労省、外務省です」（井上教授）

武見敬三厚労大臣は「パンデミック条約は、実現が難しいが、IHRは合意できる」と発言している。

「……確信犯です。医師会からも相当オカネが動いている。下手をするとこれは、刑事事件になるカネの動きです。キャスティング・ボートを握っている人のオカネはどうなっているか？

まさに利権で動いている。国民のことなど、どうでもいい。それが武見大臣のやっていることです」（井上教授）

武見大臣は、二〇一九年、WHO親善大使。まさに〝WHO利権〟そのものだ。

さらに、日本はWHO副議長国だ。完全に〝悪魔勢力〟にとりこまれてしまった。

「……なんとか、あらゆる手段を使って国民に今の状況を伝えていく。〝三発目の原爆〟を落とされないためです。戦争中、三発目は東京に落とされることが決まっていた。七〇年たってわかった。『情報』こそが、もっとも重要な〝生存の武器〟です。だから、正しく世界を学ぶことです」（井上教授）（「三千年の底力」動画より）

「緊急事態」で憲法は死に、日本は終わる

⦿ナチスの悪夢が繰り返される

『許すな！緊急事態条項』（ヒカルランド）で、わたしは警鐘を乱打している。

〝悪魔勢力〟は、台湾有事を策謀している。

そこで、用いられるのが〝偽旗《にせはた》作戦〟だ。みずからを攻撃し、〝敵がやった！〟と国民の敵《てき》愾心《がいしん》を煽る。戦争をでっちあげる、〝やつら〟の常套手段だ。

古くはヒトラーが内閣を組閣して、二日目に国会議事堂を焼き打ちした。そして「共産党の暴力革命だ！」と発表。ヒンデンブルク大統領に「憲法停止」を要求した。この瞬間に、当時、世界で最も民主的とうたわれたワイマール憲法は一夜にして〝死んだ〟。

同じことを台湾有事で、〝やつら〟はやる。深夜、台湾海峡から米軍潜水艦が台湾に向けてミサイルを発射。甚大被害を与えて「中国が暴発した」と激しく非難する。

さらに、沖縄米軍、自衛隊基地に、ミサイルを打ち込む。米軍、自衛隊など一〇〇人ほど〝死者〟が出る。日本のテレビは緊急放送。新聞は号外。〝お花畑〟（日本）に衝撃と緊張が走る。

岸田首相は緊急閣議を招集。そして、沈痛な面持ちで国民に訴える。

「……国家存亡の緊急事態です。憲法一時停止もやむなし。国民の皆様の御理解をお願いする次第です」

蜂の巣をつついたようなパニック状態の日本。「中国を許すな！」「習近平を倒せ！」。怒号とともに、国民は怒りを爆発させるだろう。

あのヒトラー・ナチスと同じ。まさに、歴史はくりかえす。

◉閣議決定に法律と自治体は従う

悪夢は現実になろうとしている。

池田としえ（日野市議会議員）は、マイクを握り質問を放った。二〇二四年一月二五日。ＷＣＨ議員連盟集会。場所は国会衆議院議員会館。

「……岸田総理は、昨年一月二一日に、英国科学誌『ランセット』で、こう寄稿しています。『公衆衛生を世界的に強化していく』。具体的には『ＩＨＲ改正を重視する』。一国の首相が、国民に与える影響を世界に発信している。これを、どのように国民に説明していくのか？」

さらに二〇二四年一月一七日、『共同通信』配信は衝撃的というより驚愕だ。

池田議員は、声を大にして、恐怖を訴える。

「……非常に重要なことが出ている。『非常時においては、閣議決定さえあれば個別法の規定がなくても、国が自治体に指示できる』『自治体は国の指示に応じる法的義務を負う』。もうすでに、今回、通常国会の『特例規定』改選案として出ている。国民は、ほとんどの人が何も知らされてない。私は一二月議会で、自治体に質問しました。けれど『よく判らない』と回答。自治体には何の通知もない。国会も審議してない。そして、一方的に『非常時、自治体への指示可能』と『政府特例規定』改正案が一七日に、出ている」と拳をふり上げる。

「……これは、非常に拙速なやりかた。いつどのような形で自治体に周知するのか？　国会議員で、どんな形でしっかりとこの案件を議論するのか？　一人一人の国民に大きく影響する異常事態を、どのように告知するのか？」

◉国会議員も国民も知らない〝中抜き〟

池田議員の声は、さらに大きくなる。

「……政府答弁は『ランセット論文は、G7広島サミットに向けたもので、拘束力や決定でなくビジョンにすぎないから安心してほしい』というが、そうではない。『特例規定』改正案が国会に出ている。ビジョンがあり〝中抜き〟で結論が出ている」

その間、国民も国会議員も何も知らされていない。まさに、寝耳に水、蚊帳の外……。

「……IHR改正やパンデミック条約の前に、こんなことが行われている。これを我々はチェックしなければならない」

悪魔の下僕と化した岸田政権は、もはや言われるまま。DSの命令には、なんでも従う。

こうして、日本は第二のウクライナ、第三のパレスチナとなっていく。

国民の命が盗まれ、富が盗まれ、国土が盗まれていく……。

他方で、世間の関心は松本人志スキャンダルで持ち切りだ。

一芸人の女遊びと、日本民族消滅の危機——どちらが深刻か？

もはや、語るまでもない。

〝お花畑〟の住民は、これほど単純な〝洗脳〟にも気づかない。

そのような日本人は……本当に滅びる……しか道は残されていない。

第5章
「世界の毒」ゴミ捨て場！ 農薬、添加物、抗ガン剤
――発達障害、自殺、暴力、発ガン、危ない人が急増中……

「死にたい」「少子化」「ひきこもり」日本人が壊れていく

◉自殺一万人激増と抗うつ剤

日本の若者は「死にたい」が口ぐせだ。

まさか……と思う。しかしグラフを見てほしい。誰もが愕然《がくぜん》とするはずだ。

若者たちの年代ごとの死亡率だ。一五歳から四〇歳未満まで各年代の死亡原因の一位が「自殺」なのだ。ただ、ただ胸が痛む。先進国で、このような惨状は日本だけだ。

日本の若者たちに何かが起こっている。

さらに、日本の自殺者数のグラフを見てほしい。

一九九八年、自殺者が一万人近く〝ジャンプ〟している。

この急激な伸びは自然現象ではありえない。

じつは、このとき新種の抗うつ剤（SSRI）が認可されている。これは英国の精神科医ヒーリー博士の調査によれば「自殺を一〇倍に増やす」というほど戦慄する副作用がある。

博士の警告どおり、認可と前後して日本人の自殺は約一万人近くも激増したのだ。

だから日本人の自殺要因は、向精神薬の薬害という隠れた側面にも注視しなければならない。

自殺者急増は新抗うつ剤出現と符合する

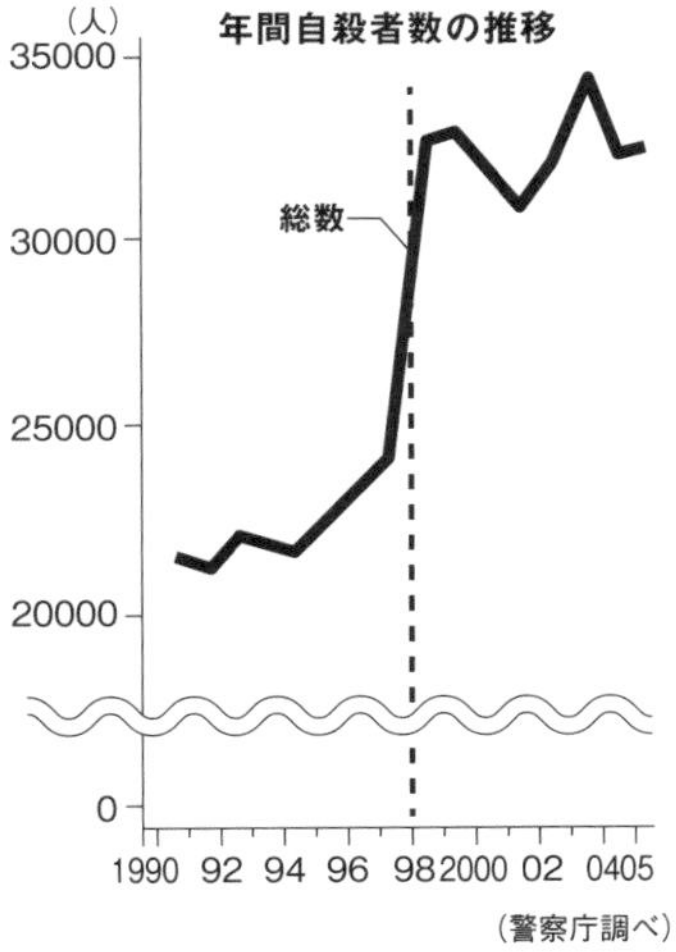

(警察庁調べ)

日本の若者の自殺は先進国ワースト・ワン

年代	1位	2位	3位
15～19歳	自殺(9.8)	不慮の事故(3.6)	がん(2.2)
20～24歳	自殺(17.4)	不慮の事故(5.2)	がん(2.7)
25～29歳	自殺(16.9)	がん(4.2)	不慮の事故(3.8)
30～34歳	自殺(17.7)	がん(7.9)	不慮の事故(4.0)
35～39歳	自殺(17.6)	がん(14.9)	心疾患(5.5)

(　)内は10万人あたり死亡率
令和元年(2019)人口動態統計月報年計(概数)の概況　P36／厚生労働省

◉農薬使用量と発達障害・自閉症

次ページのグラフは、「自閉症・発達障害」と「農地面積当たりの農薬使用量」の国際比較だ。

両者の棒グラフの形が恐ろしいほどに酷似している。

「自閉症・発達障害」の最多国２トップが日本と韓国だ。

そして「農薬使用量」も同じ。これは何を意味するのか？

農薬の多くは神経毒性がある。それは発達障害などの精神疾患の原因となる。

韓国と日本は、いずれもアメリカ属国である。そしてアメリカこそ〝闇勢力〟の砦だった。

はやくいえばロックフェラー財閥の支配下にあった。デーヴィッド・ロックフェラーは、別称〝二〇世紀皇帝〟。この石油王は〝農薬王〟でもあった。

世界の農業利権をほぼ独占していた。

そのため極東二つの属国にはタップリと農薬を売り込み、たっぷりと使わせてきた。

そして両国で「発達障害」の若者たちが、たっぷり増えたというわけだ。

このように日本の若者の心がこわれている元凶の一つが農薬だ。

◉全国で「ひきこもり」一四六万人

自殺までいかなくても、日本の若者たちは生きる気力をなくしている。

それが「ひきこもり」だ。なんと、その数一四六万人（内閣府調査）。

彼らは仕事もせず、ほとんど家から一歩も出ない。

「ひきこもり」といえば、社会不適応の若者たちだと思いがちだ。

しかし、そうではない。若年層の「ひきこもり」が中年層に移行しているのだ。

それも二〇一〇年には四〇歳以上の割合が一〇%程度だった。

しかし二〇二一年には、三〇%を超えている。

とにかく学ぶ気持ち、働く気持ちもなく、家からほとんど出ない（出られない）。

これは本人にとっても人生の損失だ。そして国家にとっても損失でしかない。

農薬の目的は属国の国民の精神破壊だ！

自閉症、広汎性発達障害の有病率
(Elsabbagh、et al.2012.Autism Res)

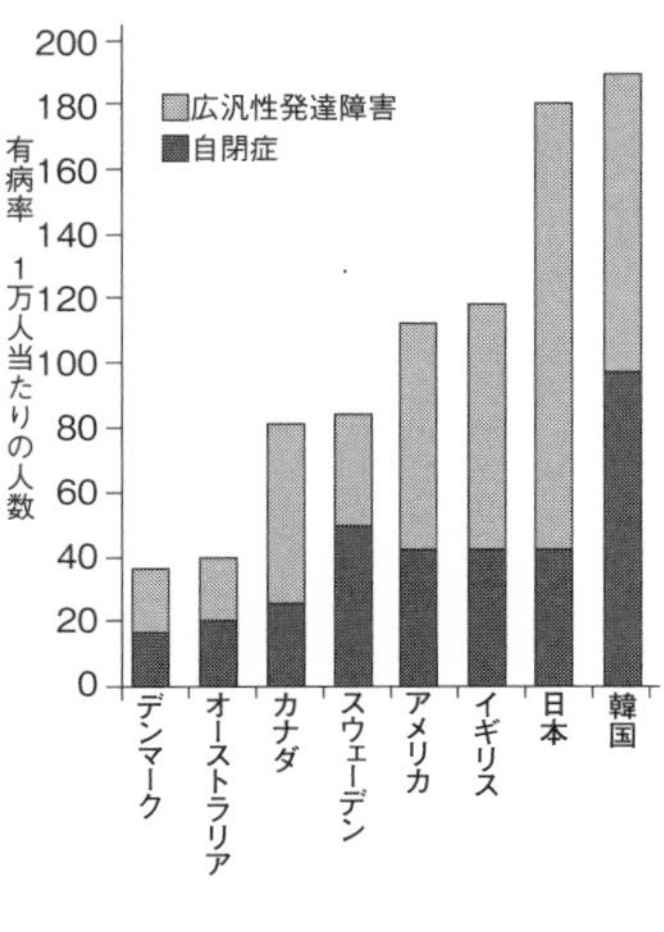

農地単位面積当たり農薬使用量
(OECD 2008)

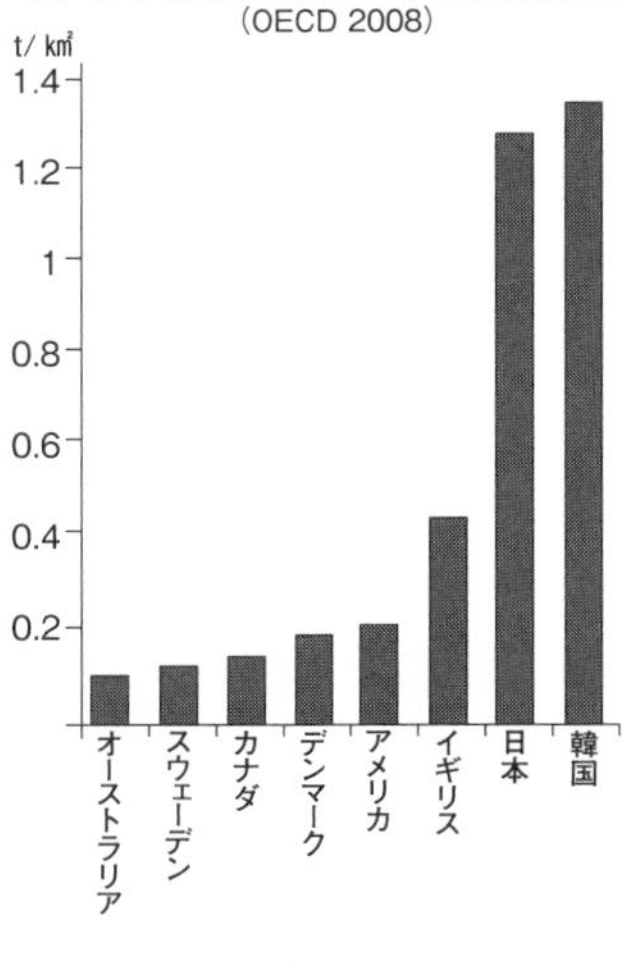

それどころか、生活保護などにより彼らは支援される。

これは日本社会の大きな負担ともなる。それは日本の国力をさらに低下させていく。

一部で〝八〇五〇問題〟が、ささやかれている。

一九八〇年代に一〇～二〇代の若者の「ひきこもり」が増加し社会問題となった。

ところが時代は進んで現代、親は七〇～八〇代と高齢化していく。

「ひきこもり」の子どもも四〇～五〇代に。そうなると子どもの面倒を見ていた老親も亡くなっていく。すると中高年になった「ひきこもり」を、いったい誰が面倒を見るのか？

彼らには自立、自活力がない。いったい何が起こるのか？

これが〝八〇五〇問題〟だ。

「自分に自信ない」「出世したくないモン」

◉アジアで最貧国におちこぼれる？

「自殺」は「生きる」気力をなくし、「ひきこもり」は「働く」気力をなくしている。

そして働く若者たちも「やる気」がない。

「将来、出世したいか？」というアンケートに、一位が「出世に興味がない」。

日本の若者たちの「やる気」のなさは、アジア各国とくらべて目をおおうばかりだ。

表は「会社で管理職になりたいか？」への回答。インド八六％をトップに、アジアの若者たちの多くは管理職を狙っている。

一三位のニュージランドですら四一％が「管理職」志望なのだ。

ところが日本だけは一四カ国中最下位で二一％。逆にいえば八〇％は「管理職に興味なし」。

その次「会社で出世したいか？」の問いにアジアのほとんどの若者たちは「ＹＥＳ！」。

ところが、ここでも日本だけは目をおおうばかりの最下位だ。

わたしは「このままでは日本はアジアでもっとも貧しい国になる」と本気で思っている。

それは、このような現実に衝撃を受けたからだ。

日本の若者たちの元気のなさは、他の調査でも明らかだ。

「自分自身に満足しているか？」のアンケート結果でも、日本はやはり最下位一〇・四％。他国と比較しても、下から二番目のスウェーデンの三分の一なのだ。

つまり日本の若者の九割は「自分に自信すら持てない」状態なのだ。

同様に「自国の政治に関心があるか？」の問いに「非常に関心がある」は、これまた最下位一二・二％。これは愛国心にもつながる。このままでは日本の未来は危うい。

「管理職になりたいですか？」

（5段階尺度）※スコアは「そう思う」「ややそう思う」の合算値

ベース｜非管理職（一般社員・従業員）		回答者数	全体（%）
1位	インド	(94)	86.2
2位	ベトナム	(360)	86.1
3位	フィリピン	(402)	82.6
4位	タイ	(417)	76.5
5位	インドネシア	(361)	75.6
6位	中国	(383)	74.2
7位	マレーシア	(294)	69.0
8位	韓国	(410)	60.2
9位	台湾	(580)	52.2
10位	香港	(577)	51.3
11位	シンガポール	(419)	49.6
12位	オーストラリア	(487)	44.8
13位	ニュージーランド	(549)	41.2
14位	日本	(387)	21.4 ←※

「会社で出世したいですか？」

（5段階尺度）※スコアは、5段階尺度の平均値

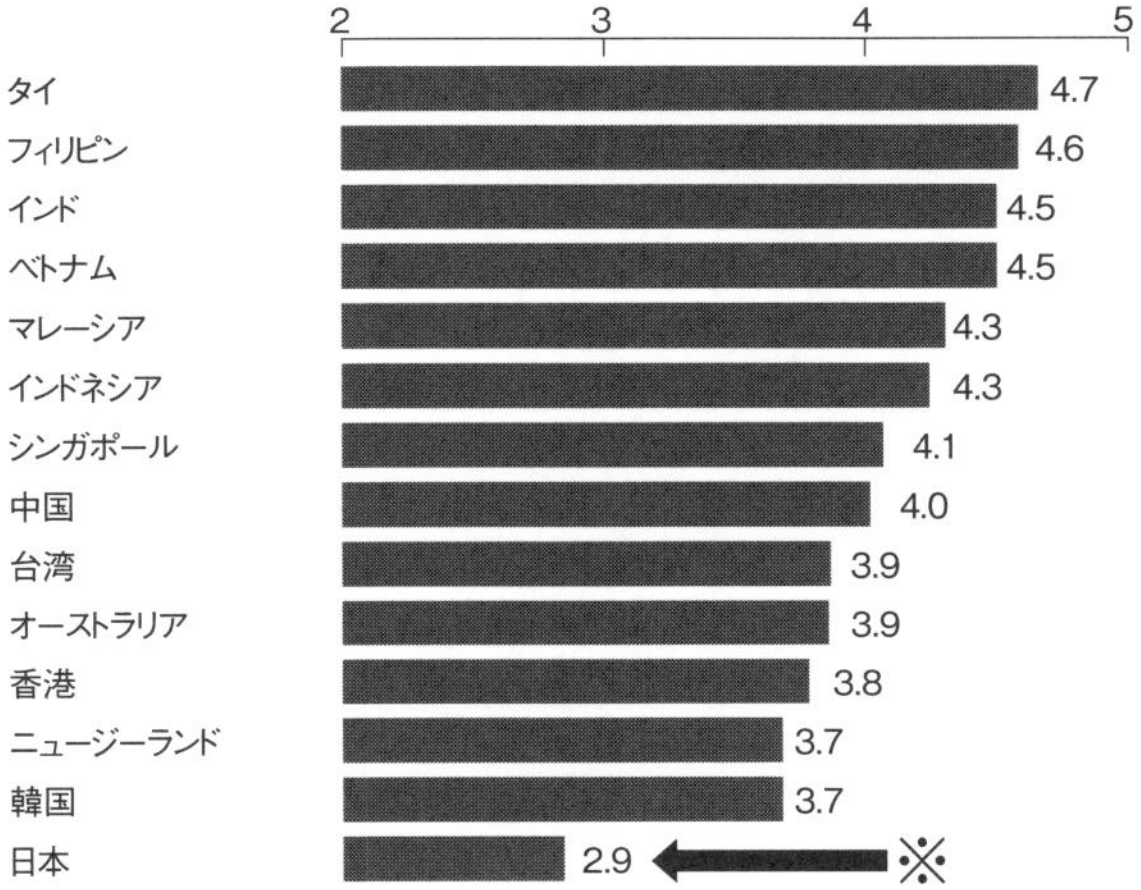

（パーソル総合研究所調べ）

欧米ではガンが減少、日本だけロケット増！

◉日本は抗ガン剤の〝ごみ捨て場〟

一九九〇年を境に欧米諸国ではガン死が減っている。

それに対して、日本だけはロケットのようにガン死が急増中だ。

これは、いったいどういうことか？

実は一九九〇年、アメリカ政府の調査機関ＯＴＡが衝撃報告を行った。

それは「抗ガン剤は猛毒で、逆にガン患者を増やしている」というショッキングなもの（ＯＴＡリポート）。この報告のおかげで欧米各国では、急速に抗ガン剤離れが進んだ。

その結果、ガン死が右肩下がりで一斉に減り始めた。

だから正確にいえば、ガン死が減ったのではなく、〝抗ガン剤死〟が減ったのである。

困ったのは欧米の製薬会社だ。彼らは余った抗ガン剤を日本市場に輸出した。

だから日本に欧米から抗ガン剤がナダレこんできた。

はやくいえば、日本は世界の抗ガン剤の〝ゴミ捨て場〟と化した。そして情報鎖国状態の日本では、いまだ猛毒抗ガン剤治療が行われている。

こうして日本のガン死者はロケット増状態となった。

おわかりのように、これら患者はガンで死んだのではない。

抗ガン剤の猛毒で〝毒殺〟されたのだ。いわば〝抗ガン剤死〟なのだ。

しかし日本の医療関係者も医療行政担当者も、そしてマスコミですらこの滑稽無比な現状にまったく気づいていない。まさに日本は患者の楽園だ。

◉若者の精子激減、民族自滅

日本の若者の精子が大変なことになっている。

それも二五年前からだ。帝京大学医学部調査で判明した。

「ＷＨＯは妊娠可能な最低レベル」として①二

日本は、世界の抗ガン剤の“ゴミ捨て場”だ!!!
（日本だけ抗ガン剤（増ガン剤）でガン死が爆発増）

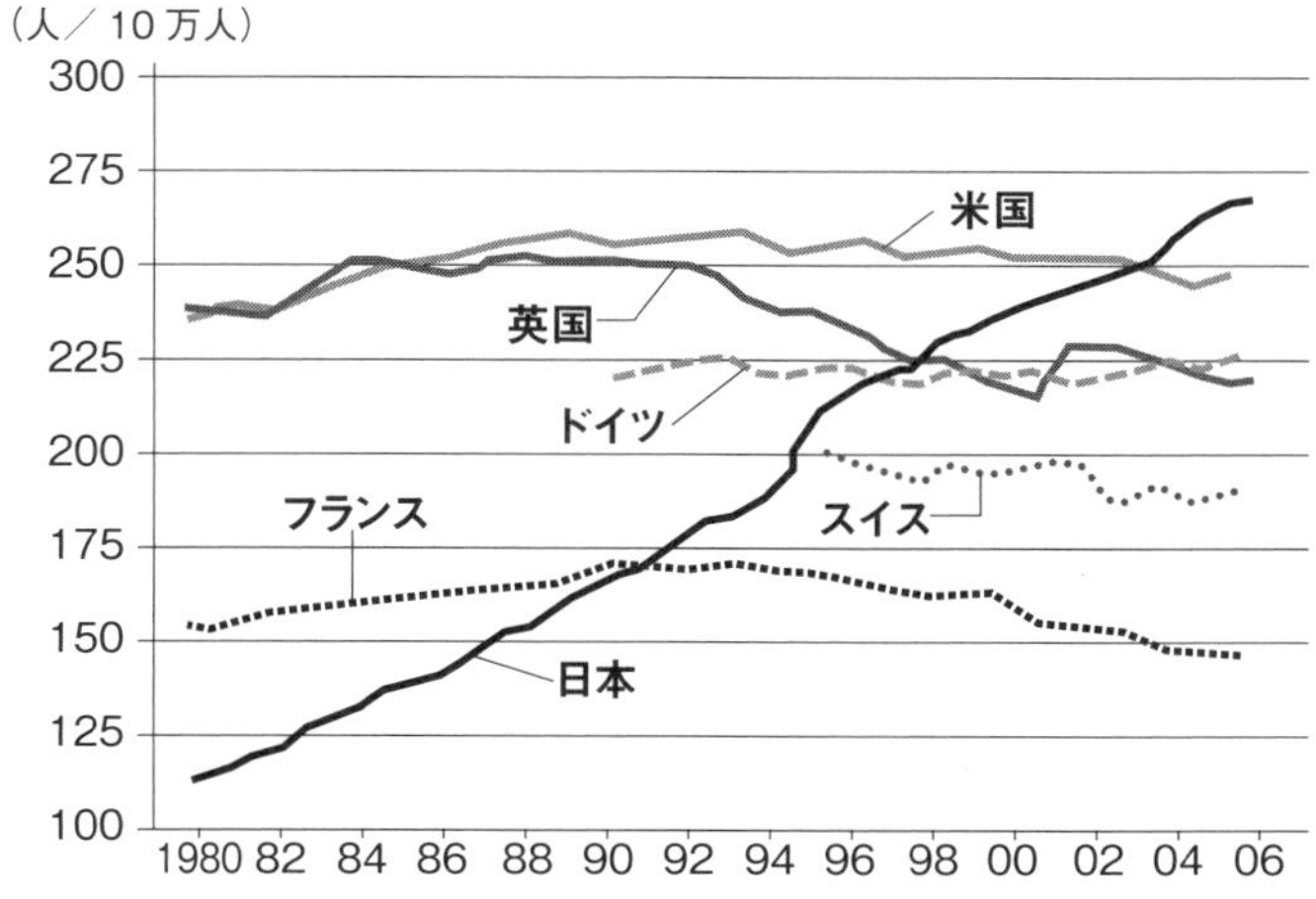

〇〇〇万匹以上（一㎖中）、②精子活性度五〇％以上――と定めている。

これ以下が「不妊症」なのだ。ところが精力旺盛なはずの同大体育系学生たちの精子で、このガイドラインを超えたのは三四人中一人のみ（三％弱）……！

つまり九七％が「不妊症」という結論に、調査を行った押尾茂講師も絶句。

衝撃データは、これだけではなかった。同講師は他の実験でも「二〇代男子で正常精子を持つのは五〇人中わずか二名」という事実をつき止めている。

大阪の不妊治療専門ＩＶＦクリニックも当時、同様の研究を行っている。

一九歳から二四歳までの健康な男性六〇人の精子を精査してみた。

すると、そのうち五七人（九五％）に奇形精子などの「異常率」が一〇％を超えていた。

やはり「精子異常」が一〇％を超えると不妊原因となる。さらに「精液過少」四三％、「乏精子症」（精子が少ない）四〇％……と、これもサンタンたる結果。研究対象の若者たちは、同クリニックで不妊治療を受けている患者より精子の状態は悪かった。

ＩＶＦ論文では「ハンバーガーをよく食べる」と回答した七七％に精子「異常率」が高かったという（「日本不妊学会報告」九八年一一月）。ジャンクフーズで〝餌付け〟した〝闇勢力〟の狙いはズバリ、人口削減……日本民族根絶やしだ。

⊙子どもができない！　食いまちがいだ

日本人の若者たちは子どもを作れなくなっている。

そこで体外受精の出番だ。九〇年頃には体外受精で生まれた子どもはほぼゼロ。

なのに三〇年弱で、体外受精児は激増して年間六万人にも達している。

ちなみに最新栄養学では、不妊症の最大原因は「動物食・過食である」。だから「菜食・少食」に徹すれば、いやでも子どもはできる。

はやくいえば夫婦で断食道場にいけば、子どもはできる。なんとカンタンなことか。

それは古来から知られた子作り法なのだ。つまりは、栄養価たっぷりの欧米食が不妊の最大原因だった。さらにくわえて、添加物だらけのジャンクフードやハンバーガーなどが不妊の大

体外受精で生まれた子どもが異常に激増している
（日本の若者たちの生殖能力が急速に衰えている）

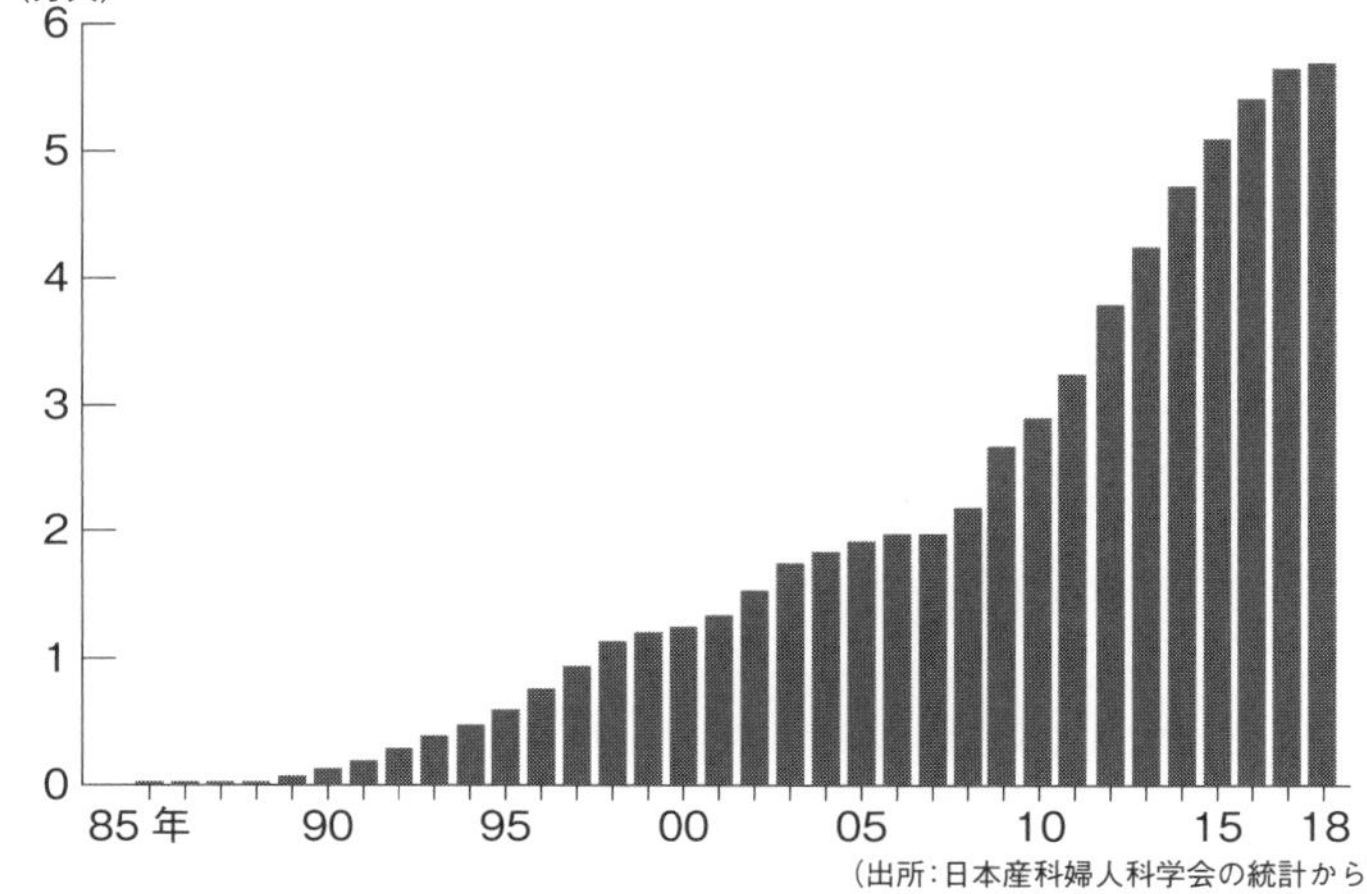

（出所：日本産科婦人科学会の統計から）

きな原因となっている。アメリカの調査でも、精子奇形が見られる若者の八八％がバーガーを常食していた。日本でも不妊男性の原因の八二・四％が「精子異常」だった。

不妊解決は、食事改善からしかありえない。

しかし、この事実を不妊学会の医者はぜったいに教えない。

そして数百万円の不妊治療を勧めるのだ。ここにも悪魔的〝洗脳〟と無知の悲しさがある。

◉病人〝天国〟、医療費〝地獄〟

第二次大戦後、日本占領を進めたトルーマン大統領は〝フリーメイソン〟の頭目である。

彼は「この国の〝サル〟たちを支配する」と公式声明している。

ちなみに広島、長崎に無慈悲な原爆投下を命じたのもトルーマンである。

彼はその後、数多くの日本の都市に原爆投下する計画を進めていた。

「……〝モンキー〟（日本人）を『〝嘘〟の自由』という名の『檻《おり》』で、我々が飼育するのだ。彼らには多少の贅沢と便利さを与えるだけでよい。そしてスポーツ、スクリーン、セックス（3S）を解放させる。これで真実から目をそらす。〝モンキーたち〟は我々の〝家畜〟だ。家畜が主人である我々のために貢献する。それは当然だ。そのために、我々の財産である〝家畜〟は長生きさせねばならない。（農薬・医薬品などで）病気にさせ、しかも生かし続ける。これにより我々は（医療や労働で）永《なが》く『収穫』を得ることができる。これは戦勝国の特権である」

そして――戦後七〇余年。〝やつら〟は日本列島の永久支配を決して諦めてはいない。世界の医療利権は過去一世紀以上にわたって、ロックフェラー財閥が独占してきた。そして、戦後、日本人の健康状態を見ると、まさに〝フリーメイソン〟の棟梁《とうりょう》トルーマンの予告どおりになっている。

日本は病人天国（地獄？）。医療費と介護費は天井知らずのウナギ上《のぼ》り。国際医療マフィアは笑いが止まらない。日本人は涙が止まらない。

「医学の〝神〟は死に神。病院は死の教会。医療の九割は慢性病に無力。医療の九割か地上から消えれば、人類は健康になれる」

故Ｒ・メンデルソン博士の言葉を深く胸に刻みたい。

日本はアジアの落ちこぼれになるゾ

◉どこまで堕ちる国際競争力？

日本は、かつて「ジャパン・アズ・ナンバーワン」と国際社会から称賛されていた。

もともと一九八〇年代末から国際競争力は四年連続一位だった。

このころは、世界企業トップ50に日本企業が三六社もひしめいていた。

それが見てのとおり、アレヨアレヨと順位を落としていった。

まさに日本の凋落である。右肩下がりは続いて二〇二〇年には三四位まで陥落した。

これこそ〝失われた三〇年〟。過去の栄光は、いまいずこである。

日本経済の没落は、賃金にも表れている。

まさに欧米先進国にくらべて、日本だけが奈落の底に向かっている。

そして、なんと二〇一六年には、ラ

IMD「世界競争力年鑑」2020年（日本はアジアでも落ちこぼれだ）

順位	国名	
1	シンガポール	(0)
2	デンマーク	(↑6)
3	スイス	(↑1)
4	オランダ	(↑2)
5	香港	(↓3)
6	スウェーデン	(↑3)
7	ノルウェー	(↑4)
8	カナダ	(↑5)
9	UAE	(↓4)
10	米国	(↓7)
11	台湾	(↑5)
12	アイルランド	(↓5)
13	フィンランド	(↑2)
14	カタール	(↓4)
15	ルクセンブルク	(↓3)
16	オーストリア	(↑3)
17	ドイツ	(0)
18	オーストラリア	(0)
19	英国	(↑4)
20	中国	(↓6)
21	アイスランド	(↓1)
22	ニュージーランド	(↓1)
23	韓国	(↑5)
24	サウジアラビア	(↑2)
25	ベルギー	(↑2)
26	イスラエル	(↓2)
27	マレーシア	(↓5)
28	エストニア	(↑7)
29	タイ	(↓4)
30	キプロス	(↑11)
31	リトアニア	(↓2)
32	フランス	(↓1)
33	チェコ	(0)
34	日本	(↓4)
35	スロベニア	(↑2)
36	スペイン	(0)
37	ポルトガル	(↑2)
38	チリ	(↑4)
39	ポーランド	(↓1)
40	インドネシア	(↓8)
41	ラトビア	(↓1)
42	カザフスタン	(↓8)

注：(　)内は昨年順位からの上昇(↑)、下落(↓)幅を示す。
出所：IMD「世界競争力年鑑2020」より三菱総合研究所作成

イバル韓国にまで追い抜かれる屈辱ぶりだ。

◉「労働生産性」いまや一五位

かつて日本は「物づくり大国」と自負していた。まさに工業立国が経済を推進したのだ。

なるほど製造業の「労働生産性」も、かつては堂々の一位だった（一九九五年）。

ところが過去の栄光もどこへやら、やはり国際競争力と同じく「労働生産性」もガタガタ転落し、二〇一六年には先進国一五カ国中最下位に転落している。

これでは賃金も上がらず、貧しくなるのも当然だ。

次ページの表は日本の「幸福度」ランキングの推移である。

年々、順位を落とし二〇二二年には五四位に

製造業の労働生産性（モノ造り大国もいまや昔……どこまで堕ちる）

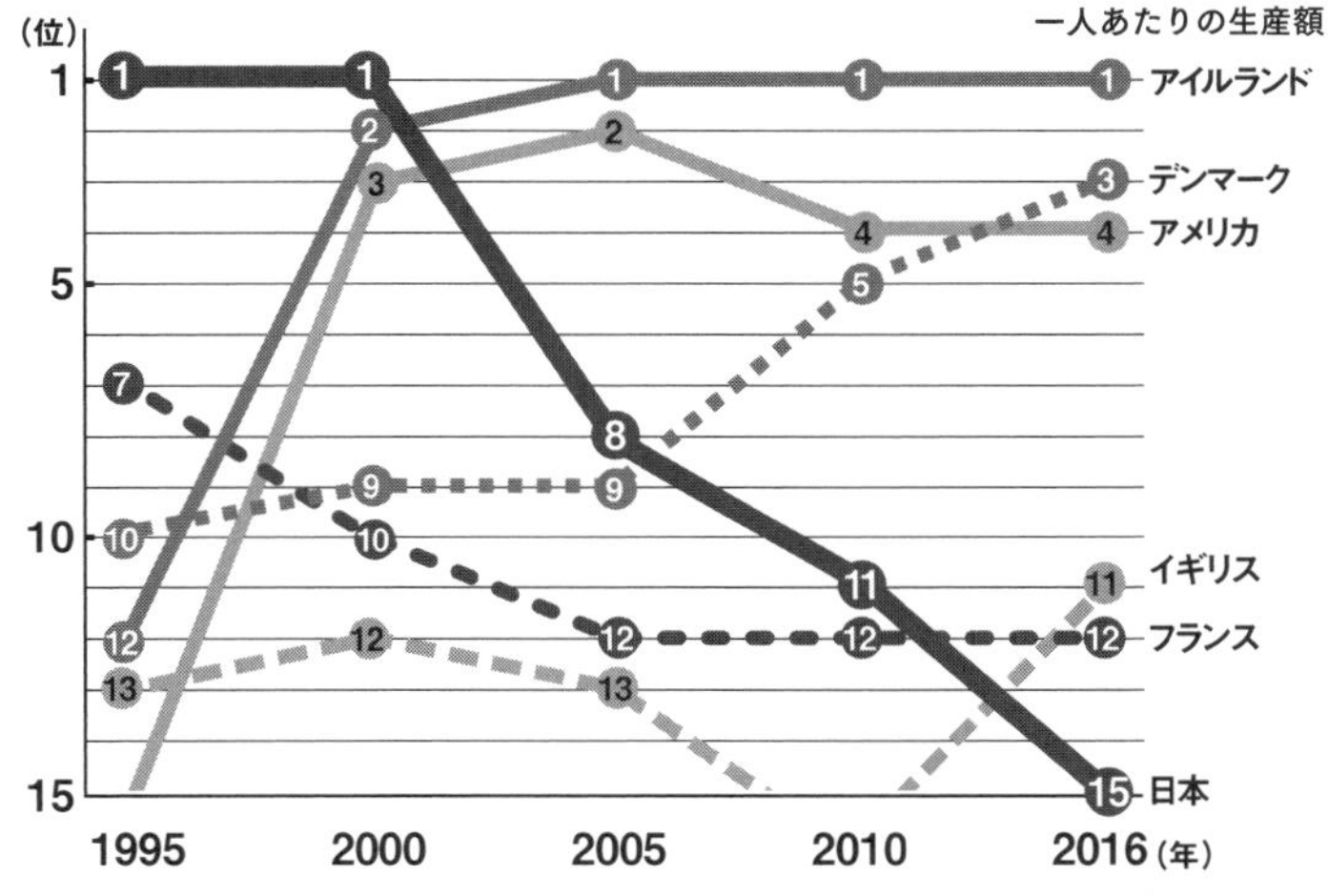

（出典「生産性白書」）

まで転落してしまった。

「報道の自由度」も日本は目を覆うばかり。二〇二三年、なんと六八位と目も当てられない。この「報道の自由度」とは「世界各国の報道機関の独立性や透明性についてスコア化し順位を付けた」もの。つまり、日本マスコミの「独立性」「透明性」が世界六八位という情けないレベルなのだ。日本は二〇一二年から先進国最低レベルに転落している。

「報道の自由」先進国で最低レベルなのは、いまや

幸福度ランキング、日本の順位
（年々、日本人は不幸になっていく）

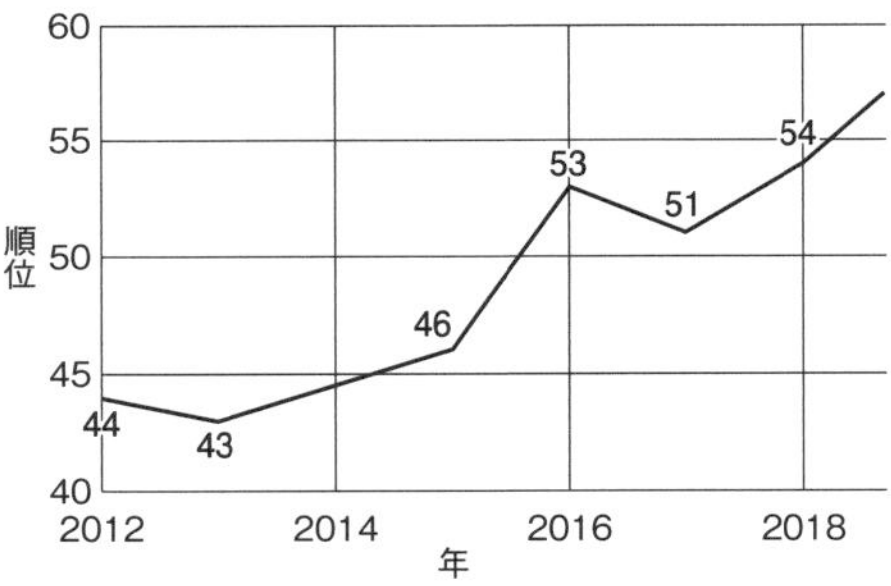

“洗脳”装置の大手新聞も発行部数は激減している

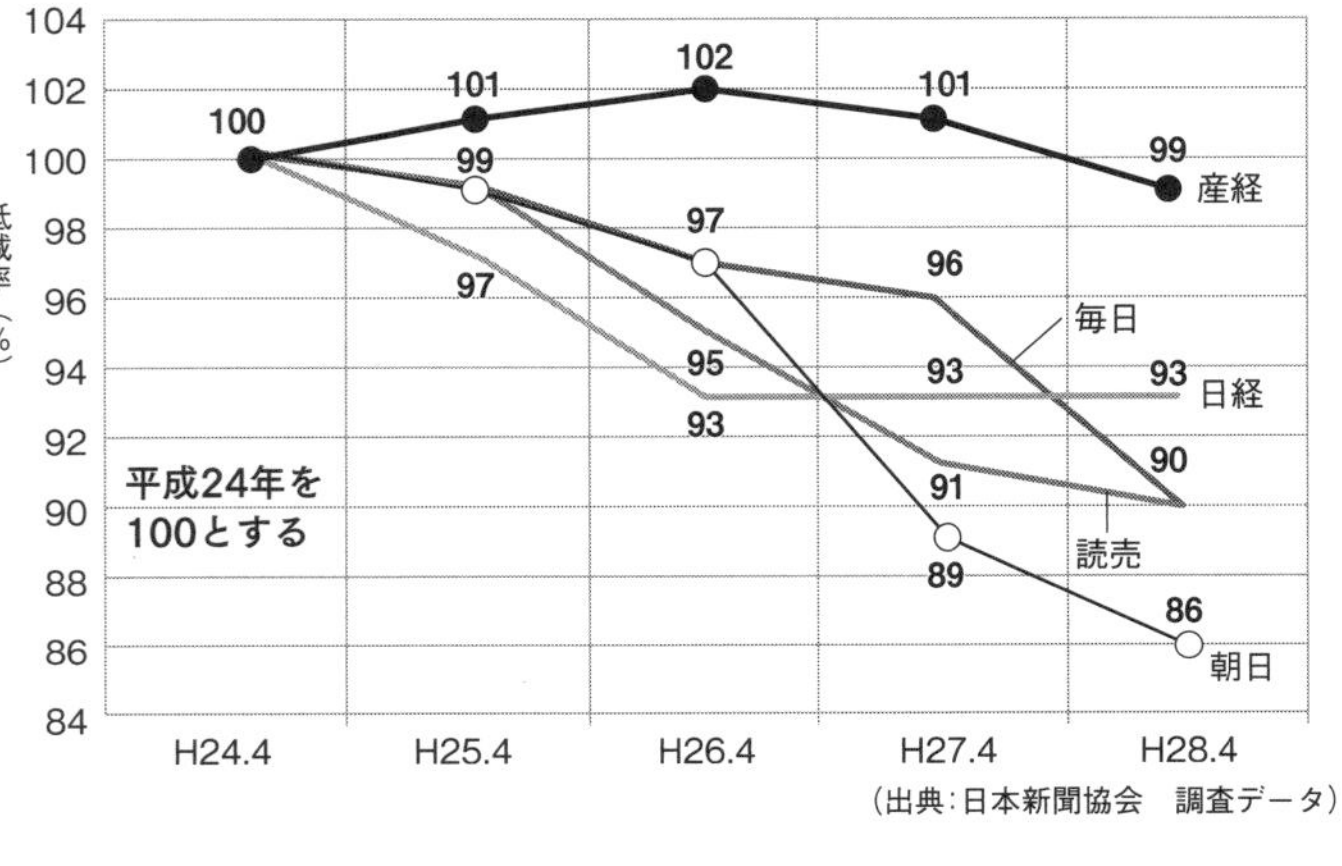

（出典：日本新聞協会　調査データ）

マスコミが死に体だからだ。

真実を報道しない。だから、新聞ばなれ、テレビばなれが急速だ。

「大手新聞」は、軒なみ発行部数を急落させている。

「新聞」の発行部数もまさに奈落の底だ。日本はドンドン堕ちていく……。

コオロギ、農薬、添加物、世界の〝毒〟がやってくる

◉〝不妊食〟コオロギを食え

「……〝ゴイム（獣）〟には虫でも食わせておけ」

これが「白い悪魔」たちのホンネだ。

だから〝やつら〟はコオロギ食を世界中に〝普及〟させようとしている。

二〇二三年、世界中でコオロギ・パニックが荒れ狂った。

一月二四日、EU（欧州連合）が「あらゆる加工食品にコオロギ粉末を添加することを許可」したからだ。EUを牛耳っているのは、いうまでもなく〝闇の勢力〟だ。

〝やつら〟はコロナ偽パンデミックの次に新たな作戦を繰り出してきた。

それが昆虫食なのだ。それも、よりによってコオロギとは……。

コオロギには雑菌、重金属、アレルギーなどの毒性が指摘されている。つまりは〝毒虫〟だ。その毒性でも最たるものが堕胎毒性だ。中国の古典医書『本草綱目《ほんぞうこうもく》』には「妊婦に禁忌」と明記されている。つまり用いると、流産、不妊などの原因となる。

〝闇勢力〟の狙いは、ここだ。つまり〝やつら〟の狙いは地球人口を五億人以下にする。そのために不妊効果（！）のあるコオロギを食わせようという魂胆なのだ。

悪魔の使いっ走りに堕落した日本政府は、コオロギ食に補助金まで出して推進している。もはや政治家も官僚も〝国賊〟と化した。それは殺人ワクチン強行からも明らかだ。

「遺伝子操作によってゲノム巨大コオロギが生み出される。すると、そのゲノムＤＮＡの鞘（プリオンタンパク質）が、変異型プリオンタンパク質に変貌。消化器系を介して、それを食べたヒトの脳を直撃。筋肉注射より早く、脳を溶かし始める」（飛鳥昭雄氏）

◉動物たんぱくは最悪発ガン食

ＥＵは、なぜコオロギを人類に食わせようとしているのか？

目的は「動物たんぱくの不足を補う」ためという。つまりは「食料危機に備えて虫を食え」という発想だ。

しかし、これも浅知恵というより無知の愚かさ……。

「動物たんぱくは、史上最悪の発ガン物質である」（コリン・キャンベル博士　米コーネル大）。博士は動物たんぱく（カゼイン）を二倍投与すると、ガンが九倍に激増することを証明している。さらにマウスに投与でガンが増え、減少でガンが縮小することを実験で証明。

動物たんぱくこそ史上最悪の発ガン食なのだ。それを昆虫食によってまかなうという。

もはや狂っている。さらにコオロギ養殖のために植物たんぱくをエサで与えるという。

ところが大豆など植物たんぱく質こそ、ガンをもっとも防ぐ抗ガン食としてアメリカ政府ですら推奨しているのだ。

だからガンになりたくなければ、大豆を最優先で食べればよい。

その貴重な植物たんぱくを、わざわざ毒虫に食べさせて、その毒虫を食えとEUは言う。

もうムチャクチャ。こいつらは完全に狂った……。

ネオニコ農薬でミツバチも人間も狂う

◉ネオニコ農薬残留二五〇〇倍

「白い悪魔」たちが日本人絶滅作戦に用いてきたのが農薬ネオニコチノイドだ。

これには「ミツバチを全滅させる」恐るべき毒性がある。

わたしも著書でその毒性に警鐘を乱打してきた。

だから欧米やアジアなど世界各国で、ほとんど使用禁止となっている。

なのに日本政府だけは、これらの動きに逆行している。ネオニコ農薬を禁止するどころか、緑茶の残留基準を旧EU基準の二五〇〇倍に引き上げた。まさに自国民を〝殺す気〟満々だ。

ネオニコチノイドがミツバチを全滅させたのは、その神経毒性による。

蜂たちは方向感覚を失い巣箱に戻ることができず、自滅したのだ。

昆虫の神経システムとヒトは同じだ。だからネオニコ農薬を空中散布した地域に住んでいる人たちに、同じ「症状」が多発している。

方向感覚や認識機能が低下した患者が、近隣のクリニックに詰めかけている。

◉農薬二・五倍で自閉症二・五倍

わたしは著書『世界の〝毒〟がやってくる』（ビオ・マガジン）で警告している。

「……ネオニコチノイドはミツバチも人間も狂わせる。現れる症状は、自閉症や精神障害だ。じっさいにネオニコ農薬の出荷量が増えるほど、日本における自閉症などの情緒障害児が急増している」

グラフを見ると、奇妙なことに気づく。

ネオニコチノイドの増加と自閉症等の増加が並行している。

ネオニコ農薬使用が増加すると、約六年遅れで子どもの神経障害が急増している。

それもネオニコ使用量が二・五倍になると、自閉症なども二・五倍に急増している。

「……約六年のタイムラグは、まさに〝農毒〟の体内蓄積期間なのだろう」（同書）

そして――。子どもの自閉症など精神障害は日本だけではない。

「……不気味な現象が世界各地で起きています。子どもの発達障害、とくに自閉症の増加です。小学校入学後に、『自閉症』と診断される子どもは、米国、カナダ、フランス、ドイツ……デンマーク、オランダ、韓国そして日本で、この一〇〜二〇年間で右肩上がりで

ネオニコチノイドと自閉症の増加は比例している

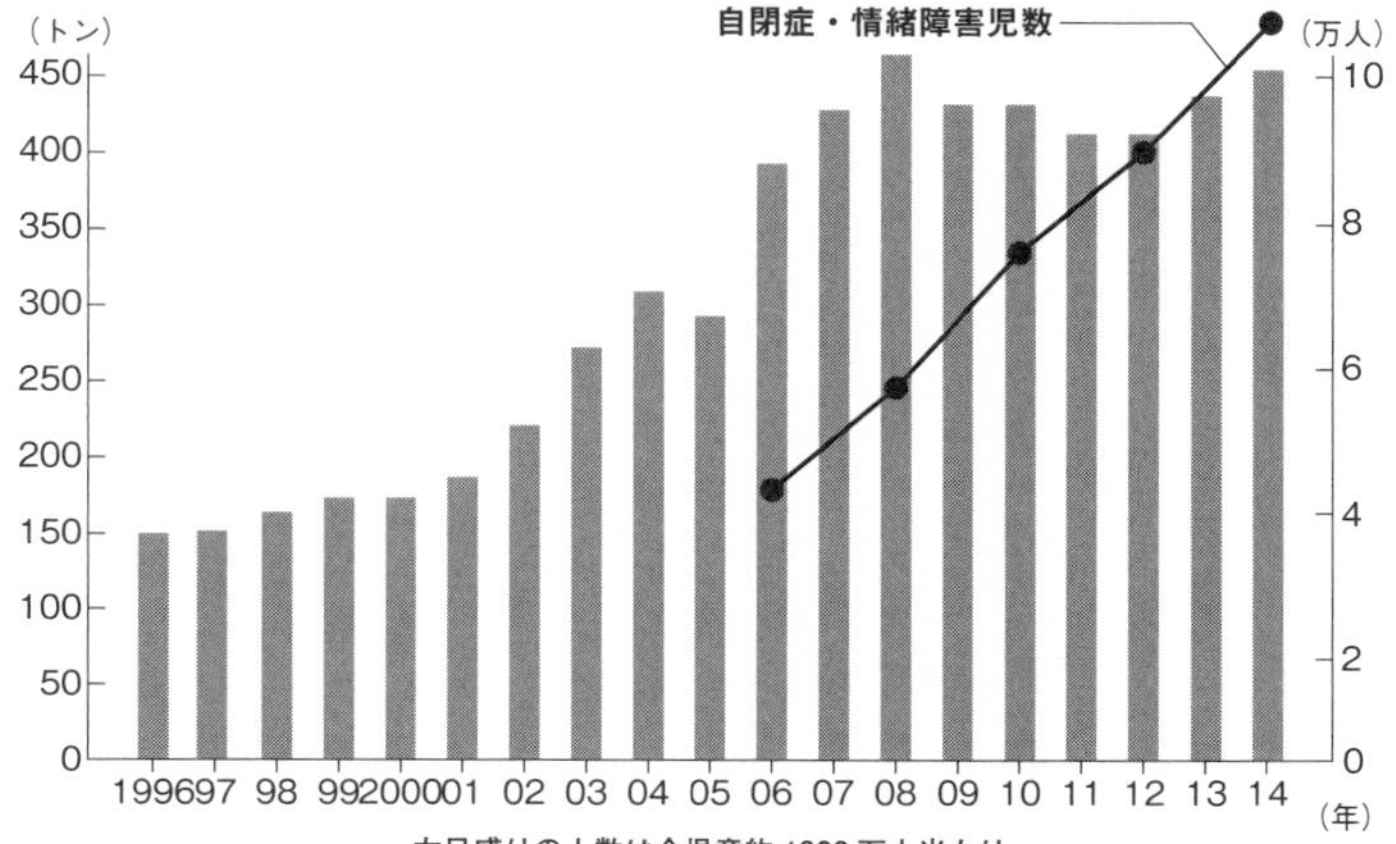

右目盛りの人数は全児童約1000万人当たり

（出典：国立環境研究所データーベース（成分）　2016年文科省資料より）

増えています」（平久美子氏、東京女子医科大学非常勤講師）

◉無気力、不妊、奇形、発達障害

ネオニコチノイドの毒性は、神経毒性だけではない。

（1）**急性毒性**：無気力、呼吸困難、運動失調、体重低下、けいれん……。これは神経系が侵されることで発症する。

（2）**生殖毒性**：精子に奇形が多発。妊婦は流産が増える。生まれても発育不全の低体重児となる。

（3）**遺伝子損傷**：農業現場で使用すると、作物のＤＮＡ反転と呼ばれる遺伝子異常を起こす。

（4）**鳥類被害**：散布するとスズメ、ウズラ、ハトなどの死滅が報告されている。さらに卵のカラが薄くなる。

（5）**水生動物全滅**：小エビは一ｐｐｂ（一〇億分の一）以下という超低濃度で、成長と大きさが阻害される。そして六〇ｐｐｂで全滅する。

（6）**土壌汚染**：ネオニコ農薬は水性なので土壌に残留する。さらに土壌中を移動し、水質汚染源となる。

（7）**農薬耐性**：害虫の一種の甲虫は同剤使用からわずか二年で耐性を獲得している。

するると、もはや散布しても〝効力〟ゼロ……。

茶葉一七回以上、有毒な農薬をぶっかける狂気

◉ペットボトル茶は飲んではいけない

これだけ猛毒なネオニコ系農薬（ジノテフラン）の茶葉残留がEU基準の二五〇〇倍も緩和された。それだけではない。同様にネオニコ系農薬（アセタミプリド）六〇〇倍、同（イミダクロプリド）二〇〇倍……。

ヨーロッパ人も日本人も同じ人間だ。日本人だけこの有毒農薬に耐性があるわけではない。なのに日本人だけはヨーロッパ人の二〇〇〜二五〇〇倍も残留した〝お茶〟を飲まされている。まさに日本人を殺す気が見え見えだ。だから、これから緑茶は無農薬以外、絶対に飲めない。

ネット検索すると、無農薬栽培でがんばっているお茶農家が全国に予想外に多い。

そのひたむきな努力に励まされる。

無農薬茶を急須《きゅうす》で淹《い》れて飲む。そのまろやかで、やさしい味わいに驚く。

これまで飲んでいたお茶は、いったい何だったんだ。あの渋み、苦みは、まぎれもなく農薬の味だった……。ネオニコ農薬だけでない。

日本のお茶栽培には一七回以上も農薬散布をしていることを知り、ギョッとした。

他の野菜や果物なら、買って帰って食べる前に洗うことができる。

しかし、お茶はそうはいかない。茶葉は収穫されてから、洗われることなく加工される。

だからお茶の葉に残った農薬の毒性成分は、そのままだ。

その茶葉にお湯を注いで、日本人はみな飲んでいる。

そして独特の〝渋み〟や〝苦み〟も、風味として楽しんでいる。

しかし完全無農薬のお茶を飲んでおどろく。その舌触りのやさしさ、まろやかさ。

これまでのお茶の〝渋み〟〝苦み〟は、農薬の〝味わい〟だったのではないか。

日本のお茶はネオニコ汚染で全滅！
(ペットボトルのお茶も飲めない)

	農薬名	茶葉		ペットボトル	
		検出率	検出量	検出率	検出量
日本で認可されている7種類のネオニコチノイド系農薬	ジノテフラン	100%	3004ppb	100%	59ppb
	チアクロプリド	79%	910ppb	100%	2.35ppb
	チアメトキサム	79%	650ppb	100%	5.53ppb
	アセタミプリド	67%	472ppb	78%	2.01ppb
	クロチアニジン	71%	233ppb	100%	2.08ppb
	イミダクロプリド	92%	139ppb	78%	1.91ppb
	ニテンピラム	3%	54ppb		

すでにペットボトル茶でネオニコ農薬（アセタミプリド）が二・五ｐｐｂ検出されている。子どもが八〇〇ミリリットル飲むと同農薬の一日摂取許容量を超えてしまう。だから、とくに子どもにペットボトル茶を飲ませてはいけない。

わたしも無農薬茶しか飲まない。命も健康も惜しいからだ。

これまで自販機では、コーヒー類や清涼飲料水ではなく、ペットボトルのお茶を買うようにしていた。日本茶はヘルシーだと思っていたからだ。しかしネオニコ農薬の残留基準がＥＵの二五〇〇倍にも引き上げられた事実に衝撃を受けた。

以来、ペットボトルのお茶は、いっさい買っていない。今後も買うことはない。

これら大手メーカーが完全無農薬茶で販売してくれるなら、買うつもりだ。しかし、そんな奇特な会社などあるはずがない。彼らの頭にあるのは、安全性より収益性なのだ。

子どもに食べさすな！　日本の果物

◉EUの二・五〜六〇倍ヤバイ

残留農薬でヤバイのは緑茶だけではない。

盲点は、イチゴ、桃、ぶどうなどの果物だ。

「子どものため」と毎日与えている母親も多いだろう。緑茶同様、日本の果物にはケタ外れのネオニコ農薬残留が許容されている。EU基準と比較すると、その異常ぶりがきわ立つ。

アセタミプリド残留基準（カッコ内数字はEU比較　2016年）

■**茶葉**………三〇ppm（六〇〇倍）
■**イチゴ**……三ppm（六〇倍）
■**リンゴ**……二ppm（二・五倍）
■**ナシ**………二ppm（二・五倍）
■**ブドウ**……五ppm（一〇倍）
■**みかん**……二ppm（二・五倍）
■**メロン**……〇・五ppm（二・五倍）

（出典　食品安全委員会資料より）

すべてがEU基準を上回る。やはり、そこには〝闇勢力〟の日本人を狙った〝殺意〟を感じる。米大統領トルーマンの日本占領時の台詞を思い出してほしい。

「この国のサルたちを（化学物質などで）弱らせて、収奪する」。つまり「すぐに殺しはしないが病人にして医療費で稼ぐ」。

そうでなければ、果物残留基準をヨーロッパより多めに設定した理由がわからない。

この一覧で茶葉の残留基準が突出している。

「白い悪魔」は、とりわけ日本の健康茶をターゲットにしている。緑茶はガンを防ぐなど多くの健康効果がある。胃ガン発生を八割抑制したという報告すらある。日本人が毎日お茶を飲んで健康に過ごされたら、かなわん。

〝やつら〟のホンネが見えてくる。

◉六六回〝農毒〟まけ！　農水省

イチゴからメロンまで「子どもに食わすな」と言ったら、親から「エーッ！」と悲鳴が上がりそうだ。その理由の一つがネオニコ農薬は「洗い落とせない」からだ。

なぜなら従来の農薬と異なりネオニコ農薬は水溶性だ。だから果物や野菜内に入り込む。脂溶性の農薬だったら漬けおき洗いや洗浄で、ある程度の残留農薬を落とすことができた。

しかし、ネオニコ農薬はそれが不可能なのだ。

一覧表を見て、茶葉の次にヤバイのがイチゴだ。ＥＵの六〇倍も有毒農薬の残留が許可されている。ブドウも残留は五ｐｐｍとハンパない。

子どもがブドウ一房食べるだけで危険レベルに達するという警告もある（一日摂取許容量）。

さらに加えて「農薬散布」の農水省「指導」基準がエグすぎる。

イチゴには「六六回散布しろ」と〝指導〟している。

もはや農水省は農薬マフィアの使い走りだ。その他の米、野菜も恐い。

日本の作物を〝農毒〟漬けにしろ！　と国家権力が〝命令〟しているのだ。

「子どもに『果物、食わすな！』なんて言い過ぎだよ」

怒る人もいるかもしれない。しかし以下の身体被害例をよく読んでほしい。

▼**八歳男児**：『健康のために』と、母親がナシとリンゴを毎日食べさせていた。

▼**三歳男児**：ブドウ狩りの翌日に、ブドウジュースをつくって飲ませた。

▼**二五歳女性**：イチゴ狩りに行きイチゴを大量に食べたら、神経「症状」が出てきた。

「いずれも患者たちの尿を検査すると、例外なくアセタミプリドの分解物が検出された。治療で解毒を行い、果物・緑茶を禁止することで『症状』は回復に向かった」（青山美子医師）

〝やつら〟は市販野菜でも〝殺す気〟満々だ

◉残留基準二〇〇〇倍の殺意

スーパーの野菜も怖くなる。

茶葉ネオニコ残留をEUの二五〇〇倍引上げと同じ〝殺意〟が、ここにもある。

①カブ葉二〇〇〇倍、②ミツバ一〇〇〇倍、③シュンギク五〇倍、④サトウキビ二〇倍……。

頭がクラクラしてくる。

それまで三ppmと高めだった⑤ホウレンソウ一三倍。これはEU基準なら、子どもが四〇グラム食べただけで急性中毒になる値なのだ。農薬の残留基準を厳しくするなら、まだしも二〇〇〇倍にするなど、日本人への〝殺意〟以外にありえない。

日本人は〝殺される〟前に、まず心が狂わされている。

ネオニコ農薬出荷量が二・五倍に増えると、情緒障害児も二・五倍に増えているのだ。

生々しい被害も多発している。二〇〇〇年代初めから群馬県では松食い虫防除を理由に、ネオニコ農薬の空中散布を開始した。ところが群馬県前橋市の青山クリニックに〝奇妙な〟症状の患者が殺到してた。青山美子院長によると、それは「指先のふるえ」「短期の記憶障害」など。

▼手がふるえ、字がまともに書けない。▼心臓がバクバクと苦しい。▼ほんの少し前までの記憶がない。▼怒りが激しく、他人を傷つける。▼気分が落ち込み、うつ状態になる。▼ペットボトル茶をがぶ飲みして発症。これらは、すべてネオニコ農薬による「症状」だった。

◉農薬は神経を狂わせる脳毒

前述のとおり、農薬使用量の断トツ多い日本・韓国では、発達障害等もまた断トツに多い。農薬が子どもや若者の脳を攻撃し、破壊しているからだ。農薬のほとんどが神経毒物だ。だから農毒＝脳毒なのだ。このせいで以下の悲劇を引き起こす。

①自閉症、②ＡＤＨＤ（注意力欠如多動性障害）、③学習障害、④作業記憶障害、⑤知能（ＩＱ）低下、⑥ぜんそく、⑦先天異常、⑧腸内細菌異常、⑨小児ガン、⑩糖尿病……。

ネオニコ農薬が、それまでの農薬よりタチが悪いのは水溶性であること。大量被害を受けたミツバチ農家は「従来の農薬が手榴弾《しゅりゅうだん》なら、ネオニコは原爆」という。「散布すると霧のように数キロ四方まで広がる」。それは、はるかに汚染を広げる。

さらに地下水、湖沼、河川から海まで汚染する。そして海産物にまで絶滅に追い込みかねない。じっさいにネオニコ農薬許可でワカサギ、シラウオ、ウナギの漁獲量は激減している。

欧米、アジアなど他国にならって即禁止しか、もはや道はない。

発ガン除草剤〝グリホサート〟も一五〇倍緩和

◉悪魔勢力が狙った農業利権

グリホサートは毒性でもっとも悪名高い除草剤だ。

商品名「ラウンドアップ」。石油王ロックフェラー傘下だったモンサント社（現在はバイエル社に吸収合併）の主力商品だ。

全世界の石油利権をほぼ掌中に収めた〝二〇世紀皇帝〟は、農業部門にも手を伸ばした。世界の農業を支配すれば、世界の食糧を支配できる。

それは、人類の生殺与奪の権を握ることだ。

食糧を〝武器〟として人類〝ゴイム〟を支配するのだ。

だから、その一歩としてロックフェラーは、遺伝子組み替えに取り組んだ。

そうして新しい作物・動物を生み出してきた。

さらに、それらの権利を生物特許（バイオパテント）として獲得した。

本来、特許とは工業製品にのみ付与されるものだ。植物や動物は大自然（〝神〟）の摂理にしたがって生きている。そこに悪魔勢力は触手を伸ばしてきた。

遺伝子操作により生み出した〝新生物〟は、一種のモンスターである。

まさに人為的な遺伝子操作で生み出された未知の生き物だからだ。

だから体内には未知の物質（毒物）が潜んでいる。

これが自然界に放たれると、制御不能な交配・繁殖を繰り返す。

この状況が遺伝子汚染（ジーン・ポリューション）だ。

◉猛烈発ガン性に世界がボイコット

この遺伝子組み替えによる世界農業支配の一環として誕生した鬼っ子――。

それが除草剤グリホサートだ。〝やつら〟は、まず遺伝子組み替えで新種の奇形作物を誕生させた。それは、グリホサートに耐性を持つ遺伝子を組み込んだ作物だ。

すると、この除草剤をまいても作物は枯れない。しかし他の雑草は全滅する。

発ガン除草剤で日本人を殺す気満々（2017年グリホサート基準値緩和例）

（単位はmg/kg）

食　品	旧	変更後
小麦	5	30
大麦	20	30
ライ麦	0.2	30
トウモロコシ	1	5
ソバ	0.2	30
その他の穀類	20	30
アズキ類	2	10
その他の豆類	2	5
テンサイ	0.2	15
シュンギク	0.1	0.2
ブドウ	0.2	0.5

（出典：有機農業ニュースクリップ）

こうして〝かれら〟は、「種子」と「除草剤」のセット販売というビジネス・モデルを確立した。悪魔の悪知恵である。

しかしグリホサートには深刻な欠点が露見した。この除草剤には、強烈な発ガン性があった。世界中の市民から「ラウンドアップ反対」の声がまき起こった。

その戦慄の発ガン毒性に、各国政府も次々に「販売禁止」措置を打ち出した。

まさに四面楚歌《しめんそか》……。ところが例によって日本政府だけは、なぜか規制ゼロ。

抗ガン剤やネオニコ農薬とそっくりだ。世界は反対。日本は許可……。

まさにアメリカの奴隷国家ニッポンの面目躍如だ。

◉サルたちを病気にして最後は殺す

国民の健康と命を考慮すれば、各国と同じく〝禁止〟で一見落着のはずだった。

しかし日本はここでも世界の潮流に逆らって「ラウンドアップ」国内販売を許可したのだ。アッという間にスーパーやホームセンターの売り棚には、同商品がひしめきあった。

そしてCMもガンガン流されるようになった。

それだけではない。二度あることは三度ある。

日本政府はネオニコ農薬と同じ轍《てつ》を踏んだのだ。

二〇一七年、グリホサート残留基準を大幅に〝改定〟したのだ。

またもやったか！　奴隷国家……。

日本国民をグリホサート猛烈発ガンで〝殺す気〟満々なのだ。

当然、旧残留基準より大幅〝緩和〟されている。国民を病気にして、医療利権が荒稼ぎした後に殺す。トルーマンが言ったとおり「サルを働かせ、病気にして、最後は殺す」。

それだけ……。だからナニカ問題ある？　〝やつら〟はそれくらいのノリなのだ。

◉ソバに一五〇倍残留を認める

グリホサート緩和で、もっとも目立つのが「ソバ」の農薬残留基準の〝改定〟だ（単位・ppm）。

この日本独自の国民食のグリホサート残留基準は、〇・二から三〇に〝緩和〟された。

なんと一五〇倍……。ソバに残留する発ガン・グリホサートは、安心レベルから一気に危険レベルに引き上げられた。コムギも六倍に〝緩和〟され、ソバ同様の三〇となった。

グリホサートに対しては、欧米の市民団体が猛烈な抗議活動を展開している。

そこで、〝やつら〟は〝お花畑〟のニッポンに避難してきた。

白い悪魔の奴隷国家の政治家もメディアも〝温かい手〟で迎え入れた。

まさにロックフェラー一族にとっては天国だ。しかし国民は地獄だ。

これからはソバも安心して食べられなくなる。

ソバ以上に気になるのがコムギだ。それも大半は輸入にたよっている。

この六倍の残留基準の緩和で、まちがいなくグリホサート汚染された〝有毒コムギ粉〟が怒《ど》濤《とう》のように国内に流入している。

もっとも心配なのは、発ガン汚染小麦を強制的に食べさせられる子どもたちだ。

すでに、すべての学校給食パンから、この発ガン除草剤が検出されているのだ。

パンは買うな！　手作りパンケーキのすすめ

◉〝プレハーベスト〟で発ガン小麦に

それはアメリカなどからの輸入小麦に〝故意〟にグリホサートを残留させているからだ。

これは除草剤の一種だ。だから散布するのは雑草対策のためだ。

しかし、この除草剤が日本への輸出小麦に対して奇妙な使われ方をしている。

それが怪しい〝プレハーベスト〟だ。収穫前に散布する。それで、こう呼ばれる。

それは「収穫前に除草剤をまいて小麦を枯らして収穫する」という意味だ。

意味がわからない。刈り取る前に小麦を枯らしたら、逆に手間がかかるだけだろう。

つまり、これは本来の雑草対策ではない。収穫直前の小麦に発ガン除草剤をまく。

すると発ガン物質が小麦に残留する。それは、子どもでもわかる。

だから、絶対やってはいけない危険な農法なのだ。

それでも、なぜあえてやっているのか？　目的は一つしか考えられない。

わざと発ガン小麦として出荷するためだ。その目的を言い切ってしまおう。

悪魔勢力による人類の根絶やしだ。目的はコロナ・ワクチンと同じだ。

アメリカやカナダから日本に輸出される小麦は、すべてこの〝毒〟足しが行われている。

日本では、この発ガン輸入小麦からパン、ケーキ、ウド

市販パンも給食パンも発ガン農薬まみれだ
（学校給食パンからも残留農薬が検出）

商品名	地域	小麦の原産地	分析結果（ppm）
中学校の給食パン	東北	不明	グリホサート　0.03
焼きそばパン	関東	不明	グリホサート　0.07
コッペパン	関東	外国産 80%、県産小麦 20%	グリホサート　0.05
小学校の給食パン	関西	不明	グリホサート　0.03
コッペパン黒糖	関西	不明	グリホサート　0.07
学校給食パン	九州	不明	グリホサート　0.08
学校給食パン	九州	アメリカ、カナダ	グリホサート　0.07

ン、ラーメンなどが作られている。
わたしは、市販のパンは絶対に買わない。

すべて国産小麦粉などでパンケーキを手作りしている。

このような防衛策をとらないと、健康で長生きはむずかしいだろう。

「毎年五〇万人がトランス脂肪酸で死ぬ」(WHO)

◉殺人油を即時禁止しろ！

海外で禁止、日本で推進――。

これまで、このばかばかしい事例を数多く見てきた。

そんなあきれた毒物、有害物は、まだまだある。

〝トランス脂肪酸〟も、そんな有毒物の一つだ。ピンとくる人は少ないだろう。

なぜなら日本のテレビや新聞は、この話題に一切触れない。

政府も注意喚起どころか、コメントもしない。

このような報道自由度下位を記録した「マスゴミ」国家に、われわれは生きているのだ。

このあきれ果てた現実に〝お花畑〟の住民ニッポン人も、そろそろめざめるときだ。

〝トランス脂肪酸〟の別名が恐ろしい。〝キラー・オイル〟。そのまんまである。この殺人アブラ。どれほどの人間を〝殺して〟きたのか？

「……毎年、世界で約五〇万人がこの〝殺人オイル〟で殺されている」（WHO）

死因の多くは心臓病か血管病だ。

◉約六〇〇〇万人が犠牲に……

〝トランス脂肪酸〟と言っても、日本人のほとんどはキョトンとするだけ。

〝お花畑〟の住民なのでムリもない。マスゴミも政府も、いっさい話題にしない。

だから、こんな、あぶないモノが身近にあることすら、まったく知らない。

毎年五〇万人が〝殺されて〟いるんですよ。シャキッと目をさましなさい。

「……アメリカのニューヨーク州やカリフォルニア州では、とっくの昔にこの〝キラー・オイル〟は販売禁止となっている」（拙著『世界の〝毒〟がやってくる』ビオ・マガジン）

いったい、どれだけの人たちが、この〝殺人オイル〟で命を落としたのだろう。

この悪魔のオイルが発明されたのは一九〇〇年のこと。それから一二〇年余。その長い期間、世界で約六〇〇〇万人もの人類が〝殺された〟と見られている。

どうして、このような殺人オイルが人類の歴史に登場したのか？

そもそもきっかけは、改良油だった。食品業界にとって油の酸化・劣化は頭痛の種だった。

そこで油脂に水素を添加することで、これら欠点が克服できることがわかった。

「酸化しない」「長持ちする」。まさに〝夢のアブラ〟の登場だ。

何カ月たっても劣化しない。「まるでプラスティックようだ」

そこから別名「プラスティック・オイル」とも呼ばれた。

しかし天然油脂に不自然な水素結合をさせたため、自然界には存在しない人工オイルなのだ。

それなのに〝酸化しない〟というメリットに世界中の食品業界が飛びついた。

血行障害から、あらゆる病気を引き起こす

◉心臓病、ガン、糖尿病、認知症

なぜ〝トランス脂肪酸〟で、人類六〇〇〇万人も犠牲になったのか？

それは「劣化しない」というメリットに目がくらんだからだ。

なにごとも長所があれば短所もある。それが世の道理だ。また〝トランス脂肪酸〟を用いたマーガリン業界などが、多大な利益を上げた。するとマイナス情報は圧殺、隠蔽された。

その後――。

現在、明らかにされたのは恐るべき疾患と犠牲者の存在だ。

血行障害から、あらゆる病気を引き起こすのだ。

(1) 心臓病、(2) 動脈硬化、(3) 発ガン性、(4) 糖尿病、(5) 潰瘍性《かいようせい》大腸炎、(6) うつ病、(7) 認知症、(8) 脳障害、(9) 生殖異常、(10) 未熟児、(11) 肥満症、(12) アレルギー、(13) 胆石・結石、(14) アルツハイマー

まさに圧巻。こうなると、〝トランス脂肪酸〟は万病を引き起こすといってよい。

◉「使用禁止」「含有量」「表示」

だから世界中の国々が「使用禁止」に急速にシフトしている。

▼カナダ、▼台湾、▼アメリカ（一部州で禁止）、▼EU（含有上限・表示義務）、シンガポールなど多くの国々が同様規制。▼WHO（二〇二三年までに世界で〝トランス脂肪酸〟根絶を表明）

ここでも日本だけが世界の流れから取り残されている。

ネオニコ、グリホサートなどと、まったく同じ。表示義務すらない。

そして奇妙なことに「食品一〇〇グラム当たりのトランス含有量が〇・三グラム未満であれ

ば、〝トランス脂肪酸ゼロ〟と表示できる」

あきれた。モロに詐欺表示ではないか。しかし、それは〝合法〟という。

これが日本の食品表示制度なのだ。

メーカーに「不利な表示はさせない」「有利な表示はさせる」

まさに腐れきった官民ゆ着だ。これでは日本は世界の笑い者だ。

◉全面禁止せよ！　少なくとも表示を

人類を約六〇〇〇万人も〝殺して〟きた殺人アブラだ。

「全面禁止」が、まっとうな対策だ。それが無理なら最低でも「含有規制」「表示義務」は、即行でできるはずだ。厚労省をはじめ、この国の政府は、業界と悪魔の側しか見ていない。

だから、われわれ国民、消費者が大きな声を上げる必要がある。

日本人の食と健康に関して第一人者である山田豊文氏（杏林予防医学研究所所長、日本幼児いきいき育成協会「JALNAI」会長）は、「〝トランス脂肪酸〟表示」を求めて立ち上がった。

それに、われわれも呼応すべきだ。

「……世界各国では、規制や禁止、表示の義務化が続々と進んでいる〝トランス脂肪酸〟は老若男女、誰にとっても害のあるものとして、世界では認知されています。ところが日本はいまだに規制や禁止どころか食品表示の義務さえもありません。どこに、〝トランス脂肪酸〟が含まれているのか、全くわからない状態が続いているのです」（呼びかけ文）

山田氏は「……禁止、規制が無理なら、せめて表示を！」と署名を訴えている。

「せめて、えらべる世の中に！」。目標は一〇万人である。

■問い合わせ：メール info@jalni.com（ＪＡＬＮＡＩ事務局）

トランス脂肪酸の表示義務化を目指すオンライン署名はこちら→

change.org

第6章

日本列島マグロ〝解体ショー〟！ さあ切りとり放題

——大企業、農業、種子、漁業、森林、水道……盗人たちの狂宴

「日本の市場」は一九七位、北朝鮮にも負けた

◉〝失われた三〇年〟の衰退……

過去三〇年の間に、日本はどんどん貧しくなっていった。

数字を見れば、一目瞭然。日米英の過去三〇年の推移を見ると、日本だけがマイナスに低迷している。

ＧＤＰ（国内総生産）の伸び率も六カ国中最低。さらに日本政府は借金だらけ。

国家財政も危険水域に突入した。GDPに占める日本の債務比率は先進国G7で最悪。いつの間にか日本は借金大国に落ちぶれていた。

これはアメリカが「豚を太らせて食った」からだ。日本は「太らされて食われた豚」だ。身も細るのはあたりまえ。経済評論家、大前研一氏の嘆きだ。

「……さらば、何も変わらないこの国は、ただ沈んでいく」（『週刊ポスト』ビジネス新大陸の歩き方）

◉〝お花畑〟のニッポン人

彼は、平成元年（一九八九年）に『平成維新』（講談社）という本を著している。そこには平成への革新の思いがこめられている。表紙は当時のGNP（国民総生産）の大きさを面積に置き換えた「世界地図」が描かれている。当時、中国は日本の九州と同じ大きさでしかなかった。

しかし……「いまや、中国のGDP（国内総生産）は、日本の二・五倍に膨れあがっている。GDPは平成の三〇年間で、アメリカが三・六倍、イギリスが三・四倍、ドイツが二・八倍に成長したのに対し、日本は一・三倍にしかなっていない。中国が暴走するなか、日本は世界の成長から取り残されてしまった」（大前氏）

この時点で、かつて〝経済大国〟であった日本の経済力は世界二六位に転落している（国民一人当たりGDP）。

さらに、かつて四年連続一位だった「国際競争力」も三四位へ転落、「国民幸福度」五四位、「報道自由度」六八位と見る影もない。

そして、ついに日本人なら誰もが愕然とするデータが発表された。日経新聞が発表した「魅力ある市場」の国際比較だ。なんとそこで日本は一九七位、魅力度五・二％で、一九四位の北朝鮮（五・九％）にも抜かれている。

しかし、こんなサンタンたる状態なのに、この現状に日本人だけが気づいていない。いまだ「日本は世界有数の経済大国」と信じきっている。まさに〝お花畑〟のニッポン人。

◉「マスゴミ」こそA級戦犯だ

なぜ日本は〝お花畑〟なのか……？

それは、政府、マスコミ、学界がほんとうのことを言わないからだ。

真実が国民には、いっさい届いていない。とくにメディアはA級戦犯だ。

今ごろになって、日本人も「テレビや新聞はおかしい」と気づき始めている。

そしてテレビばなれ、新聞ばなれが進んでいる。しかし、あまりに遅すぎた。

もはや手遅れ……といっていい。それほどの日本の惨状なのだ（第5章参照）。

――新聞は社会の木鐸《ぼくたく》――とは、昔から言われてきた。

「振子を木で作った金属製の鈴。昔、中国で法令などを人民に触れて歩くときに、鳴らしたもの」「転じて、世人に警告を発し、教え導く人」(『大辞林』)

しかし、今や〝ボケ者〟はいても〝木鐸〟は存在しない。

◉告発本の隔靴掻痒《かっかそうよう》のもどかしさ

警告、告発書もある。『「本当のこと」を伝えない日本の新聞』(M・ファクラー著　双葉新書)。これは日本取材歴一二年の米国人ジャーナリスト(NYタイムズ東京支局長)が明かす「3・11と新聞の敗北」の裏側を暴いたものだ。彼は日本を「ジャーリストのいない国」と断じる。

『崩壊する新聞』(黒藪哲哉著　花伝社)は、「部数至上主義」新聞界のタブーを暴いている。『テレビ・誰のためのメディアか』(鈴木みどり著　学藝書林)、『おテレビ様と日本人』(林秀彦著　成甲書房)。これらは、テレビによる白痴化の元凶を斬っている。

いずれも真意、熱意は伝わってくるが、残念ながら浅い。

人類史において、地球が〝闇の勢力〟に支配されてきた事実に気づいていない。

〝イルミナティ〟〝フリーメイソン〟〝DS〟の闇権力三層構造を知らない。

だから〝やつら〟の悪魔支配がまったく見えていない。

たとえば世界メディアを支配しているのは、ロイター、AP、AFPの三大通信社だ。

その株式を完全支配しているのがロスチャイルド、ロックフェラーという〝イルミナティ〟双頭の悪魔なのだ。この事実に、ほとんどの日本人は〝陰謀論〟と耳を貸さない。

〝お花畑〟の極楽トンボ住民は救いがたい。

さあ！　日本切り売りマグロの〝解体ショー〟だ

◉大企業は極上の大トロだ

しかし、嘆いている場合ではない。

日本最後の切り売り——マグロの〝解体ショー〟が、とっくに始まっているからだ。

まずは、大トロの極上部位に〝やつら〟は貪《むさぼ》りついている。

それが日本の大企業だ。

日本は独立国家だといまだ信じている人がいたら、それはよほどおめでたい人たちだ。敗戦後、日本が独立国ではなく、アメリカの属国（奴隷国家）であることは、すでに証明してきた。

しかし国家が乗っとられ、牛耳《ぎゅうじ》られても、企業だけはちがう。そう思ってきた。

日本は自由主義経済圏に所属する。資本主義の根幹は自由競争だ。

だから日本の企業は、その競争に生き残り、成長してきた。そう信じていた。

しかし、「豚は太らせてから食え！」の諺《ことわざ》を思い出してほしい。

〝やつら〟は日本企業を後で〝食う〟ために、エサを与えて太らせてきたのだ。

そして日本の大企業も丸々と太った。一九八〇年代後半には、世界企業トップ五〇に三六社もの日本企業が占めるほどになった。これは別の言い方をすれば、世界を支配する悪魔たちにとって、ちょうど食いごろに成長してくれた……というわけだ。

◉株を奪え！　会社を奪え！

しかも〝やつら〟は狡猾だ。美味の大トロに公然とむしゃぶりつくわけではない。

極上の美味は、秘密の部屋で味わうにかぎる。

仲間内の密やかな饗宴《きょうえん》……。〝お花畑〟の日本人に気づかれてはならない。

「日本の大企業を食らう。いったい、どうやって……？」

それは、かんたんだ。株を狙えばいい。株式会社の最高意思決定機関は、株主総会だ。

株主（ステーク・ホルダー）こそが最終権限を握っている。どの株式会社も表向きは、このように民主的組織なのだ。株式を多く所有するほど、多くの権限を所有する。

株を多く持つ者が、その会社を支配できる。じつに単純だ。

日本の大企業を支配するためには、この原則を応用すればよい。

つまり日本の大企業の株式を大量に所有する。すると株主総会での議決権すら掌握できる。

それは、その企業を乗っとったのと同じだ。役員の比率は株式保有比率で決定される。

こうして日本を代表する大手企業ですら、多くの株式を悪魔勢力に蚕食《さんしょく》、簒奪《さんだつ》されてきた。

◉それはユダヤ金融資本の手口

中には反発する人もいるだろう。

「……外国人投資家を悪魔呼ばわりはヒドすぎる。失礼だ」

ナルホド……。なら日本の大企業の株主一覧を見てほしい。

二位、三位に聞き慣れない外国投資会社の名前がズラリ。その親会社をたどっていく。

すると、なんと、ほとんどがロスチャイルド系、ロックフェラー系金融会社なのだ。

つまり、“闇勢力”の双璧《そうへき》が日本の大企業の株を密かに買い占め、支配していた。

日本の大企業は、とっくに悪魔勢力に乗っとられていた……。

まさに、これこそハザール・ユダヤ金融の手口なのだ。

だから日本企業を守る。そのためには、その企業の株を守る。

われわれ市民も、このシンプルな図式に気づかなければならない。

株式を買う。それは、その「企業を買う」ことと同じことなのだ。株を買うことで、その企業を支える。そう思い、理解し、行動している国民がどれほど、いるだろう？

青い目の役員の正体は〝工作員〟か？

◉あらゆる組織に〝工作員〟を

一七七三年、マイヤー・アムシェル・ロスチャイルドは「世界統一計画二五カ条」で、こう明記している。

「〝ゴイム（獣）〟たちのあらゆる組織に、われわれの工作員を潜入させ、支配する」

これを日本の大企業に当てはめる。すると、それは外国投資家が送り込んできた役員だ。

だから青い目の役員は〝工作員〟の可能性が高い。

〝かれら〟の目的は企業の業績を伸ばすことではない。利益を奪うことなのだ。

さらに企業を弱らせ、潰す。それが究極の潜入目的なのだ。

高度経済成長期を経て、日本の企業は大きく成長した。それを見て、そろそろ食べ頃と判断した〝かれら〟は、〝工作員〟を送り込んできた。それは必ずしも青い目とはかぎらない。

逆に東洋人あるいは日本人のほうが〝工作員〟としては打って付けだ。

スパイは、できるだけ目立たないことだ。

◉〝黒字三兄弟〟VS〝赤字三兄弟〟

日本の大企業は、高度成長期にすばらしいパフォーマンスを見せてくれた。

それがバブル崩壊を経て平成に入るや……失速した。不思議などの失敗をくり返す。

たとえば家電業界。わたしは『「日本病」経済の真相！』（ビジネス社）という著作で、その実態を分析した。当時、アジアでは三大企業が急伸していた。それがサムソン（韓国）、LG（同）、ホンファイ（台湾）だ。それらを、わたしは〝黒字三兄弟〟と命名。

それに対して、かつて花形だった日本メーカーは凋落が著しかった。

松下、ソニー、シャープだ。それらを〝赤字三兄弟〟とした。そして両者を徹底比較した。

結論をいえば新興の〝黒字三兄弟〟は、まずリーダーたちが独立独歩でマンパワーがあった。

これに対して日本の〝赤字三兄弟〟の会社では官僚化が進み、体制は硬直化していた。

そして、なぜか、やることなすこと失敗つづき。

素人目から見ても、信じられないポカをくり返す。

こうして日本の栄光の家電業界は、アジア勢に市場を完全に奪われ没落していった。

これは、その他、自動車業界などすべてにいえる。

◉詐欺、殺戮《さつりく》、奴隷……悲劇に学べ

結論からいえば、自己責任だ。しかし、日本企業の成長期と凋落期を分けたのは、役員会に潜入した闇勢力の〝工作員〟の仕かけではないのか？

これは、わたしの推理だが外れてはいないと思う。

ハザール・ユダヤは、それほど狡猾である。大企業に寄生し、蜜を吸い尽くす。

それぐらい朝飯前だ。〝やつら〟は、そうして、いくたびも国家すら滅ぼしてきたのだ……。

いまだ〝お花畑〟の住民には、目がテンだろう。

しかし白人に滅ぼされ、北米大陸を奪われたインディアンたちを思うがいい。

彼らは海の向こうからやって来た〝白い客人〟を心よりもてなした。

まさか彼らが命を奪い、大地を奪う野心を秘めていたなど、つゆも思わなかった。

南米大陸を盗まれたインディオたちも同じ。

やはり遠来の〝白い人〟を労《ねぎら》い、もてなしている。その代償が残虐な大量殺戮だった。

オーストラリアのアボリジニたちも、キャプテン・クックらを素朴な笑顔で迎えた。

その〝白い来客〟たちが自分たちを鉄砲の的にして〝遊ぶ〟とは、夢にも思わなかった。

アフリカ黒人たちもそうだ。はるか海を渡ってきた〝白い客人〟たちをもてなした。

その見返りに捕らえられ、手枷《かせ》足枷で真っ暗な船倉にぶち込められた。

そして、その一、二割は〝不良品〟として海に生きたまま投棄されたのだ。

まさか遠来の客が自分たちを奴隷として売りさばくなど、夢にも思わなかった。

彼らの純朴さ、正直さは宝である。しかし、それが悲劇と悔恨を招いたのだ。

歴史はくり返すという。しかしくり返させてはならない。

農業と食糧は生命線だ。悪魔たちに渡すな

◉目的は「食」による人類支配

悪魔勢力（ハザール・マフィア）たちは世界の農業を狙っている。その目的は食糧支配だ。

食糧は人類の生命線だ。だから「食」を支配できれば、人類を支配できる。

〝やつら〟の究極目的の新世界秩序（ＮＷＯ）も〝ゴイム〟の完全支配なのだ。

だから世界の農業をめぐるさまざまな問題も、すべてここに起因する。

世界の農業の対立構造をみると、くっきり二分される。

企業経営vs家族経営――。

古来、日本では農民は百姓と呼ばれた。これは断じて蔑称《べっしょう》ではない。

これは、百種もの作物を育てる人という尊称なのだ。

だから多品種少量生産が理想だ。農業の面白さもそこにある。

本来、農業とは、さまざまな育種を行う小規模経営が適しているのだ。

しかしロックフェラー財団などに代表される巨大資本家は、大規模経営をめざす。

そちらのほうが巨大利益をのぞめるからだ。

さらには「食」で人類を支配するという究極の目的が根底に隠されている。

「虚弱品種」「農毒漬け」「低栄養」の作物を〝ゴイム〟に食わせて、病人だらけにする。

これは医療業界にとっては、ありがたいことだ。

農業王ロックフェラーは、医療王でもある。この多重支配を忘れてはならない。

◉〝民営化〟の先に新世界秩序(NWO)

「巨大資本による支配」とは、いかにも人聞きが悪い。国民にも消費者にも警戒される。

だから政府やメディアは便利な言葉を発明した。それが〝民営化〟という用語である。

いかにも自由で、効率がよさそうな響きがある。

こうして日本の農業も〝民営化〟の嵐にさらされている。

しかし、この構図は――、
①〝民営化〟→②〝企業化〟→③〝独占化〟→④健康破壊→⑤病人大国→⑥医療利益→⑦環

境破壊→⑧〝人口削減〟……という末路をたどる。

〝闇の勢力〟は、このプログラムのもと、世界中で農業の〝民営化（企業化）〟を狙っている。

デーヴィッド・ロックフェラーの後継者ビル・ゲイツが世界中で農地を買いまくっている。

それは、この目的のためだ。むろん日本も例外ではない。

土地盗りの行きつく先は国盗りだ。①北米②南米③豪州④アフリカの悲劇を心に刻め。

農地法・森林法の改悪で日本を〝ハイジャック〟

◉農民と農業を守るための農地法

農地法とは、農民の農地所有を保護するためのものだ。

だから、農地の①売買、②貸借、③相続については規制されてきた。

農地は宅地のように売買、貸借ができない。農業委員会の許可などを必要とする。

さらに農地を相続する場合も地元の農業委員会に届ける義務がある。

一見、保守的に見える。

しかし、このようにして日本の農村と農業は乱開発などから守られてきたのだ。

しかし農業に参入したい企業にとっては、これはハードルでしかなかった。

そこで彼らはハードルを少しずつ低くさせる作戦に出た。

「人・農地など関連施策の見直しについて」（令和3年5月25日）が公表された。

表向きの目的は「事務手続きの簡素化」「デジタル化」だ。

◉ビル・ゲイツ農地を買いあさる

さらに「農業経営基盤強化促進法」という長ったらしい法律がある。

文字どおり「農業経営の基盤強化」が目的だ。これが令和五年に改正された。

「農地を取得する時、従来の面積規制が撤廃された」のだ。

具体的には「五〇アール（北海道は二ヘクタール）以下でも、取得許可がおりる」ようになった。つまり小規模農地の売買が自由になったのだ。ハードルは、また一段引き下げられた。

さらに「手続きのオンライン化」（電子申請）も推進される。農地の「売買」「貸借」「相続」が、現地役所に出向かなくても迅速にできる。これも参入を狙う企業にとっては追い風だ。

農地取得コストは大幅に低減できる。企業の農地取得が加速されるのは、まちがいない。

むろん、これらも担当者にとって農業復活への願いをこめたものであることは、わかる。

「過疎無人化」「後継者不足」「耕作放棄地」……日本農業の先行きは暗い。

だから企業の参入で近代化を図りたい。

それは十分に理解できる。ただし、この世は善意の企業家だけではないのだ。裏の裏で、悪魔的な企みが蠢《うごめ》いている。そのことを忘れてはいけない。ビル・ゲイツなどＤＳ勢力が、ダミー企業とオンラインを使って日本の農地を買いあさることすら、可能になったのだ。それは、まちがいなく起こる。いや、もう始まっている。

◉日本の森林は買い放題だ！

農地だけでなく日本の山も危ない。

農地には前述のようにさまざまな規制が存在した。しかし山林の売買に関してはルーズだ。売買に法律上の制限はない。だから「日本の山は買い放題」なのだ。

森林取引は、一種の無法地帯ともいえる。

保安林については一定の制限はある。しかし自由に売買はできる。

森林は宅地建物取引法の対象外なのだ。だから、なんと仲介手数料の制限すらないのだ。

このように日本の山林は、私人、法人を問わず自由に売り買いできる。

山林購入者は、所在地の市町村に「森林土地・所有者届」を出せばそれで終わり。

一定面積を超えた土地購入者も「国土土地計画法」に基づく届出を出すだけ。

なお「森林経営管理法」３条によると「森林所有者には、適切な時期に伐採・造林・保育を行う『責務』が明確化され、森林所有者みずからが森林を経営管理することが〝求められている〟」。

〝求められている〟に注目。つまりはたんなる推奨である。罰則はないのだ。

◉漁業組合が追い詰められる

第一次産業、農林漁業の一角、漁業も危うい。

日本の農地が企業に売られ、森林が企業に売られている。

そして漁業も企業による分捕《ぶんど》りが始まった。

水産王国、日本の漁業権は漁業組合に与えられている。

日本の漁民と漁業を守るためだ。漁業権を企業が狙っている。またもや〝民営化〟の波だ。

農業法と同様に、漁業法も漁民に特権を与えてきた。いうまでもなく地域の漁民と漁業を保護するためだ。それが地域経済を守り、地方文化を守ることにつながる。

「――亡国の漁業権〝開放論〟――資源・地域・国土の崩壊!!」

二〇一七年九月二日、このスローガンを掲げた講演会が参議院議員会館で開催された。

演壇に立ったのは鈴木宣弘東大教授。主催は「全国沿岸漁民連絡協議会」「NPO法人21世紀の水産を考える会」だ。

鈴木教授は壇上から熱く訴えた。

「……沿岸の漁業権は、漁業者の集合体としての漁業組合に与えられています。それにより、漁業資源の保護や過当養殖を防ぐなど調整が行われているのです。企業でも漁業組合員になることで参加できるのですよ。しかし、内閣府『規制改革推進会議』などで、一般企業にも入札などで、特別に漁業権を与える議論が出ています。とんでもない！　外国企業も含め、資金力のある企業が漁業権を買い占め、漁民の生活を奪うことになる。『この浜から出て行け！』となりますよ。地域が崩壊する。国境警備や安全保障まで弱まりますよ」

――まったく同感だ。漁業権を守ることは、国土を守ることにもつながるのだ。

水道民営化、美味しい命の水まで奪われる

◉麻生太郎がブチ上げた民営化

口もとのひんまがった麻生太郎が日本の水を狙っている。

彼は水道民営化を訴えて、あちこち跳梁跋扈《ちょうりょうばっこ》している。

それは一〇年前にさかのぼる。

二〇一三年四月一九日、G20の国際会議に彼は副総理として出席した。

そのときCSIS（国際戦略研究所）での講演で、次のように発言している

「……水道は、世界中のほとんどの国ではプライベートの会社が水道を運営しておられます。しかし日本では自治体以外では、この水道を扱うことはできません。水道料金を回収する九九・九九％というようなシステムを持ってる国は、日本の水道会社以外にありません。けれども水道は、すべて国営もしくは市営・町営です。こういうものを、すべて民営化します。つまり学校を作って運営は民間・民営化とする（そういう考えだ）。公設民営です。そういった一つの考え方、アイデアが上がってきつつあります」

◉水道代が何倍も値上げされる

しかし、この水道民営化論は時代錯誤もはなはだしい。

なるほど世界は一時、水道民営化の流れがあった。

それも〝闇の勢力〟が水道利権にまで、手を伸ばしてきたからだ。

しかし〝民営化〟の弊害は、すさまじかった。

水道事業を独占化した企業は、ためらいなく水道料金を値上げしてきた。

まさに〝命の水〟を握った者の強みである。この水道料金の理不尽な値上げは、とくに発展途上国の人々の暮らしを直撃した。三倍、四倍……と値上げされると当然、支払えない。

すると水道会社は、その家の蛇口を鎖で締めて施錠する。

人間は水なしで生きることは不可能だ。

さらに悲劇も起こっている。火事に襲われたある貧しい家は水道を止められていた。

そのため幼い姉妹が業火のなかで命を奪われたのだ。

◉アホウ太郎の無知妄言〝民営化〟

水道は水質が命だ。とくに安全な水を届ける。それは水道関係者の責務だ。

しかし〝民営化〟で特権を得た水道会社は、安全対策をおろそかにする。それどころか、神経毒〝フッ素〟を添加する。こうして、DSは国民の白痴化まで狙った。

直接利益に関係ない。だから水質悪化や汚染が〝民営化〟した国々で大問題となった。

苦情は殺到し、政府に「〝民営〟廃止！　〝公営〟復帰！」のデモ隊が押しかけている。

これらは、すべて水道〝民営化〟で起こった悲劇や惨劇だ。

第三世界では水道〝民営化〟に反対する国民的一大デモが巻き起こっている。

それに軍隊が発砲、死者まで出ている。水道〝民営化〟はこれほどまでの地獄を生み出す。

アホウ太郎ならぬ麻生太郎は、世界の〝民営化〟の実態には、ほとんど無知だ。

世界中の〝民営化〟した国々の民衆は、〝公営化〟を求めて悲痛な叫びを上げている。

そして、いまや世界中が〝公営化〟ラッシュとなっている。

いわゆる〝再公営化〟トレンドだ。

水道〝民営化〟論者は、これら世界の深刻な状況を学んでから発言せよ。

種採り、挿し木も禁止?「種苗法」改悪、悪夢の中身

◉和食文化をささえた農水品種

わが国は、悪魔ディープステートに完全に乗っとられた。

もはや政治家も役人も悪魔の手先だ。

その証拠が「『種苗法』例外措置の撤廃」だ。

これだけでは、なんのことやらわからない。メディアがいっさい報道しないからだ。

新聞、テレビも悪魔の下働きに成り下がっている。

「……丹精こめて育てた作物に、実ったタネを採って、また植える……。農家がくり返してきた『自家採種』が、すべての品種で禁止されていく?」

「……それを推し進める農水省の狙いは?」と『週プレNEWS』は疑問を投げかける。

『週刊プレイボーイ』(二〇一八年三月一九号)は若者向け雑誌ながら「種子法」廃止などの社

会問題に鋭く斬り込んでいる。

「……コメ、麦、大豆のタネの生産や供給を国（政府）が、バックアップするのを定めた『種子法』（主要農作物種子法）が、今年（二〇一八年）いっぱいで廃止された。『週刊プレイボーイ』は、そこに潜むリスクをレポートした」

この「種子法」廃止も、日本の農業にとっては衝撃の悪夢だった。

日本の和食が、なぜ世界中から大絶賛されているのか？

それは政府が率先して品種改良に努めてきたからだ。コメの品種などで、よく「農林×号」などという品種名を目にする。それは農水省の研究者たちが日夜苦心して開発した新品種なのだ。こうして、さまざまなブランド米が生み出された。それはいも、大豆や麦も同じ。政府（農水省）のおかげで多種多様な農産物が生まれ、豊かな和食の世界が広がっていった。

ところが、ここにもディープステートの横やりが入った。

「……国家が品種改良を行い、無償でタネを農家に提供してるのはフェアではない」

つまり「自分たちも種子市場に参入させろ！」と圧力をかけてきたのだ。

しかし〝かれら〟は当然、開発した種子を有料で販売する。対する公的機関である農水省からの種子は無料だ。

これでは商売にならない。だから「やめろ！」とねじ込み、圧力をかけてきた。

これが、「種子法」廃止の裏側だ。

政府を脅してきたのは、まちがいなくロックフェラー財閥などの悪魔勢力だ。頂点に立つ〝イルミナティ〟や〝フリーメイソン〟など〝やつら〟は世界大戦まで自由自在に起こしてきた連中だ。

「……逆らったら、なにされるか、わからない」

⊙たくみな〝裏ワザ〟で種子独占

こうして農水省は「種子法」廃止に追い込まれた。

〝闇勢力〟がもう一つ狙ったのが「種苗法」だ。特定作物品種に知的財産権を認めている。たとえば「さくらんぼ」だったらブランド品種の〝佐藤錦〟などが、それに該当する。

「種苗法」とは——新品種を作った人に「品種登録」してもらう制度。それで育成する権利(育成者権)が与えられる。登録されると二五年(樹木は三〇年)は、権利者以外が無断で譲渡・増殖できなくなる。これは著作権とよく似ている。農業品種にも知的所有権を認める。

農水省によれば毎年、品種登録に一〇〇〇件近い申請があり、二〇一七年には七九四種類の「登録」があった。

栽培農家は、これら「登録品種」のタネや苗を購入して生産・販売を行う。

ただし、「登録品種」の収穫物からタネを採ったり、挿し木で増やす「自家増殖」は原則禁止されている。違反者は一〇年以下の懲役か、一〇〇〇万円以下の罰金！　意外なほど厳しい。

しかし――。じつは、これには「例外規定」（21条）が用意されている。

①自家経営：農家が経営のため増殖させることは原則認める。

②品種改良：農民が新たな品種改良に挑戦する場合は認める。

③再確認：作物が品種登録された時と同じ特徴か再確認する。

「種苗法」が制定されて以降、この「規定」のおかげで法律は問題なく運用されてきた。

ところが――。

「……農水省は、この『例外』を廃し、品種登録されている植物であれば、農家により自家増殖を原則禁止する方向で舵を切った」（『週プレNEWS』）

◉残るのは大手種子会社だけ

なぜ突然、豹変したのか？

「……日本も加盟するUPOV条約（新品種保護国際条約）のためです。この条約に入っているEU各国では農家の自家増殖は原則禁止。日本は、国内農業の実態にあわせて例外を設けてきた。それを他国に合わせるため方針転換した」（山下快氏　農業ジャーナリスト）

つまりは〝闇勢力〟側のEU圧力に屈した。

「……いずれは品種登録しない作物は世に出せなくなるかも。すると自分でタネ採りや品種改良をしていた農家は、すべてタネを種苗会社から買うことになる。残るのは国内外の大手種苗会社ということになりかねません」（同）

こうして〝民営化〟の美名のもと、闇勢力の農業利権の略奪侵食が加速していく。

やはりモンサントやビル・ゲイツの笑い声が聞こえてくる。

第7章

トヨタ、日産、ホンダ、日本メーカーＥＶボロ負けの深刻

――日本の大企業は〝ハイジャック〟され、〝工作員〟だらけ？

一〇〇年一度の「産業革命」、ＥＶ戦争も惨敗

◉日本はＥＶガラパゴスで滅ぶ？

「……二〇四〇年、トヨタの売り上げは、現在の一一〇〇万台から三五〇万台に激減する」
（「パイパー報告」）

これはアメリカの投資顧問会社パイパー・サンドラー社の衝撃予測だ（二〇二一年）。

予測によれば、世界新車販売に占めるＥＶ割合は三〇年までに四五％、四〇年には九四％を

占める。世界の自動車地図は、ほぼ完全にEVに塗り変わる。同予測では、二〇四〇年、売り上げ一位はフォルクスワーゲン（VW）で九二〇万台、シェア一一・四％。二位はテスラ（TESLA）八二〇万台、シェア一〇・一％……。

テスラ社は設立わずか二〇年で一六倍強の爆速成長をとげると予測されている。

衝撃「パイパー報告」から二年……。

世界EV地図は予測どおり急速に塗りかわっている。

まさに電気自動車革命は、一〇〇年一度の「産業革命」なのだ。

しかし日本はエンジン車に固執するあまり、完全に出遅れてしまった。

それはドイツと日本の比較でも明らかだ。

さらに後進国タイからも置いてけぼり。

世界のEV戦争は、すでに決着がついた。

二〇二三年、完全勝利したのは中国EVとテスラの二強だ。

とくに中国EVの完成度とコスト・パフォーマンスに日本メーカーは完敗した。

X-pengが2024年発売予定のスカイEV。
AIによる自動操縦で空を飛ぶ

テスラのＦＳＤ（完全自動運転）も完成。この分野でも日本メーカーは一敗地に塗《まみ》れた。世界はすでにポストＥＶ戦争に突入している。

それが〝スカイＥＶ〟（空飛ぶ車）だ。写真は、中国のＥＶメーカー〝Ｘｐｅｎｇ〟（シャオペン）が二〇二四年に発売するモデル。二人乗りで価格一七八〇万円、ＡＩが自動操縦する。

テスラ社などもスカイＥＶを次々に発表している。

「……二〇四〇年度、〝空飛ぶ車〟市場は一七〇兆円規模となる」（モルガン・スタンレー予測）

この分野でも日本は決定的に出遅れた。

やはりアジアの落ちこぼれに転落していくのか……。以上が世界ＥＶ戦争の現状だ。

◉負けてるのに「勝ってる」

もはや決着はついている。しかし日本はあまりにもアンチＥＶ派が多い。

彼らは負けているのに「負けてない」と言い張る。これはワクチンにもいえる。

「危険なんてデマだ！」「『陰謀論』だ」

まさに聞く耳をもたない。わたしは太平洋戦争末期を想起する。

アメリカ軍に完全に負けているのに「勝ってる」と言う。「天皇の軍隊は負けない！」

こうなると〝洗脳〟を通り越して、一種の〝狂気〟である。

わたしは著書『〝洗脳〟の超メカニズム』（ヒカルランド）にも書いた。人間には「防衛機制」という心理メカニズムが働く。わかりやすくいえば「先入観に支配される」。そして後から入った異なる情報に困惑、不快になる。ムカついて「うそだ！　デタラメ言うな」と怒鳴っている。これはムカつき、苦しくなった自分を守るための反射攻撃なのだ。

こうして人間は自己破綻を防いでいる（まったく人間とはメンドーな生き物だ）。

◉原発一〇基、火力二〇基の大ボラ

さて――。自動車EV化は、もはや避けられないメガ・トレンド（巨大潮流）である。

それを簡潔に証明しよう。

発電所建設は不要：「日本中の乗用車、バス、トラックをすべてEVに替えても発電所は一基も増やす必要はありません」（慶応大学　清水浩名誉教授）

アンチEV派はキョトンだろう。

日本中の人々は、電気自動車に替えたら電気を食うので多くの発電所が必要になると本気で思っている。それも無理はない。自動車工業会会長でトヨタ社長でもあった豊田章男氏はいたるところで、こうぶちまくっていた。

「……日本中の車を電気に替えたら、原発なら一〇基、火力なら二〇基必要になります。これが、はたして地球にやさしいクルマと言えるでしょうか？」

彼は月刊『文藝春秋』のインタビューでも得々と、この持論を展開していた。

わたしは同誌を読んで呆れ返った。よくもここまで大嘘を堂々とつけるものだ。

さらに冒頭で豊田氏は、自らモットーを「ウソをつかないこと」と胸を張っている。

まさに恥の上塗りだ。

では日本中のクルマをすべて電気自動車に替えても、なぜ発電所は一基も増やす必要はないのか？　清水博士の解説は明快だ。

「……使用されていない夜間電力で充電するからです。発電量を一〇％増やすだけで、乗用車、バス、トラックをすべてＥＶに替えることができます」

この真実を、『ＥＶガラパゴス』（ビジネス社）に書いた。豊田前社長は知っているはずだ。

しかし、あのペテン発言については一言の謝罪も訂正もいまだない。

走行エネルギー効率はガソリン車の五倍

◎ガソリン車より五倍走る

アンチＥＶ派の無知ぶりにも、ただ呆れる。

「ＥＶはエネルギーを食う」という迷信も困ったものだ。

かつての米副大統領ゴアは若い頃の著書『地球の掟』（ダイヤモンド社）で断言している。

「……内燃機関は二〇世紀中に地球から放逐されるべきだ」

内燃機関とはエンジンのことである。内部で燃料を燃やして動力を得る。だから内燃機関だ。

その最大の欠点はエネルギー効率の悪さだ。ガソリンを内部で爆発させて動力を得るのだが、そのエネルギーの九割を熱で逃がしてしまう。動力エネルギーに回るのは、わずか一割にすぎない。たとえば石油一リットルをエンジンで燃やしてクルマを走らせる。

すると一〇キロ走った。この一リットルの石油を火力発電所で燃やして発電し、それを送電線で運んでＥＶバッテリーに溜めて、そのエネルギーでモーターを回して走ったとする。

どれだけ走るか？　……四八キロ走る。

つまり同じ石油を燃料にしても、エネルギー効率はＥＶが四・八倍近く勝るのだ。

地球上で大量の石油が車の走行に使われている。地上のガソリン車をＥＶに替える。

それだけで輸送用の石油は五分の一ですむ。つまり五分の四の石油は節約できるのだ。

それだけ大気汚染は減少するのは、いうまでもない。

◎水素燃料電池車(ＦＣＶ)の愚行

トヨタは、いまだ水素エンジンなどの内燃車に固執している。

やはり内燃機関なのでエネルギー効率はＥＶより五倍悪い。九割のエネルギーを熱で逃がしてしまうからだ。同様に水素燃料電池車（ＦＣＶ）への執着も理解できない。

テスラの天才経営者イーロン・マスクは一言。「ウェイスト・オブ・タイム！（時間のムダ）」

ＥＶとＦＣＶの燃費効率を比較すると、ＥＶが二倍以上も優れている。

さらにいえば、水素ステーション建設に三億円かかる。電気スタンドは約三〇〇万円。水素供給の一〇〇倍もの給電システムが可能となる。水素ステーションは北海道では札幌だけ。稚内でトヨタのＦＣＶ〝ミライ〟を購入した人の未来は真っ暗だ。

さらにＦＣＶには致命的欠陥がある。それが水素圧力容器の寿命だ。

金属は水素に接すると脆《もろ》くなる。これが水素脆性《ぜいせい》だ。だから経年劣化で爆発の恐れがある。

それを防止するため、ＦＣＶは販売後一五年で強制廃車が義務づけられている。

だからトヨタ〝ＭＩＲＡＩ〟には、本当に未来がないのだ。

◎プリウス部品数はテスラの一〇倍

さらにＥＶのメリット。それは部品が驚くほど少ないことだ。

〝プリウス〟などハイブリッド車（PHV）も人気を集めている。ただし、これらはガソリン車と電気自動車を合体させたもの。当然、部品点数も多くなる。テスラなどのEVとPHVの部品数を比べると、おどろくなかれ一対一〇。つまり〝プリウス〟の部品数は、〝モデル3〟の一〇倍も多いことになる。

EV部品数は、なぜそんなに少ないのか？

それは、ガソリン車に必要な駆動系（トランスミッション）がいっさい不要だからだ。エンジンの往復運動を回転運動に変えるクランク・シャフトや変速機、クラッチ、プロペラシャフト、デフシャフトなどなどの装置がいっさい不要となる。

すると「電池は重くて高いじゃん」とアンチ派は反論してくるだろう。ところがバッテリー価格は、一〇年で約一〇分の一の勢いで低下している。他方で充電性能は反比例でめざましく向上している。

一充電一二〇〇キロ走行EVも登場（メルセデス〝EQXX〟）。一〇〇〇キロ超えEVも次々に販売されている。

これはフル充電で東京を出発したら、ノーチャージで福岡まで軽く到達できる性能だ。

電気代はガソリンの約一〇分の一

◉乗ってビックリ！　その安さ……

ふだんはＥＶ充電を深夜電力で行う。この時間帯の電力は格安だ。概算になるが、ＥＶにフル充電して、電気代が五〇〇円とする。それでＥＶは約五〇〇キロも走る。だから一キロ当たりの走行コストは約一円だ。ガソリン車の平均燃費はリッター一五キロ程度だ。ガソリン価格リッター一五〇円とすると、一キロ走行コストは一〇円。

ＥＶの走行コストはガソリン車の約一〇分の一という計算になるのだ。

それと、ＥＶの隠された利点がメンテ費用の安さと耐久性だ。

ＥＶの部品はガソリン車の約一〇分の一だ。だから故障リスクも一〇分の一以下だ。

エンジン車は走行中、つねに振動している。

リチウムイオン電池価格は急激に安くなっている

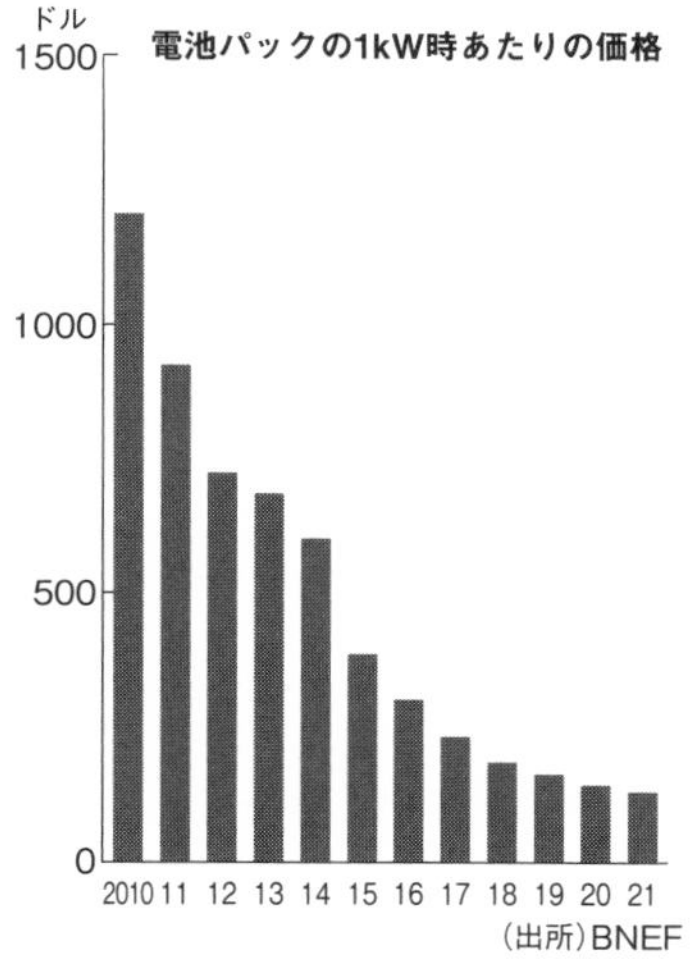

（出所）BNEF

それだけ各所が故障し傷みやすい。

全国の自動車修理工場が経営してこられたのも、そのためだ。

しかしEVではそうはいかない。故障しないのだ。交換部品もタイヤくらいのもの。

EV普及で、全国の修理工場は消滅するだろう。

故障しないからEVはいやでも長寿命だ。イーロン・マスクは明言している。

「……テスラEVは一〇〇万キロ走行を保証します」

◎充電時間は一〇分台が続出

「EVは充電がめんどうだろ？」

ふだんはスマホと同じ。帰宅してプラグインしておけば、翌日は〝満電〟で走行できる。

急速充電が必要なのは長距離のときだけ。一充電五〇〇キロのEVなら大阪まで無充電で行ける。充電ネットワークも世界中でまるでクモの巣のように充実している。

気になる充電時間も今や一〇分台というEVが次々に発売されている。

これなら高速道路の休憩所でトイレに行っている間にフル充電が完了している。

まさに日進月歩。電気自動車は充電に時間がかかるというのは過去の話なのだ。

トヨタ、日産など日本メーカーは、EVの長所は無視して欠点をあげつらってきた。

「だからＥＶはダメですよ」「やっぱりエンジン車だね」

太鼓持ちの自動車〝評論家〟やモーター〝ジャーナリスト〟たちがヨイショする。

こうして豊田氏などは、哀れな〝裸の王様〟となってしまった。

同じことが他のメーカー勢にもいえる。

ＥＶガラパゴス日本に明日はない

◉中国、北米、日本車は大苦戦

トヨタは販売量で世界トップを誇ってきた。しかし、この奢《おご》りが屋台骨を揺るがしている。

まさに、奢る平家は久しからず。過去の成功体験は未来の失敗体験になるのだ。

わたしは『ＥＶガラパゴス』（前出）に書いた。

「……周回遅れの日本自動車産業に明日はない。まさにイソップ物語のウサギと亀のエピソードだ。相手はノロマの亀だとウサギは油断して昼寝している。そのうちに、えっちら、おっちら歩いているうちに……亀は急激に成長して巨大怪獣〝ガメラ〟に大変身した！

めざめたウサギは仰天、腰を抜かしている。もはや追いつくどころではない。一撃で踏みつぶされてしまう」

ＥＶだけではない。かつて隆盛を誇った日本車が海外で惨敗しているのだ。

自動車の世界四大市場は日・中・米・欧だ。しかし海外三市場で大苦戦している。

たとえば中国市場。日本車だけが大惨敗だ。わずか一年で売上げは日産六四％減、ホンダ五六減％、トヨタ二四％減と軒並み落ち込んでいる（二〇二三年・同月比）。

目を覆う急落ぶりだ。他メーカーはさらに酷い。

三菱、スズキは中国市場から撤退。中国車に完敗したからだ。

北米市場の落ち込みにも暗澹とする。日産二七％減、ホンダ三五％減、トヨタ一三％減……（二〇二二年）。

なぜ日本車が売れないのか。一言で言えば、性能が悪いから。魅力がないからだ。

トヨタ〝bZ4X〟、日産〝アリア〟……国産ＥＶ惨敗

◉一二〇万円値引きして売れない！

海外市場で日本車売り上げが大苦戦している。理由の一つがＥＶシフトの遅れだ。

まさにウサギと亀の教訓。世界の消費者志向はガソリン車からＥＶに急速にシフトしている。

それは発展途上国でも同じだ。トヨタの独壇場だったタイでもＥＶ普及率は日本の三倍超だ。

アッという間に日本を追い越してしまった。ベトナムの〝ＶＩｎＦａｓｔ〟は、テスラをも脅かすほどの超高性能ＥＶを発表。ギガファクトリー（巨大工場）で年に五〇万台生産する。中国、アジア勢の新型ＥＶ攻勢、さらにトップリーダー〝テスラ〟の躍進。日本メーカーは、まったく付いていけず取り残されている。

豊田前社長が「トヨタの技術すべてを注いだ」と満を持して発表したＥＶ〝ｂＺ４Ｘ〟は、なんと発売直後に強制リコールとなった。その理由に天を仰ぐ。「前輪が脱落する」

ＥＶ以前に、前代未聞の欠陥車をトヨタは作ってしまった。

この有様だから、海外市場でもまったく売れない。

中国では一二〇万円値引きしても売れない。最後には一台お買い上げの方に、ガソリン車をオマケという投げ売り商法まで。それでも売れない。日産〝アリア〟も同じ。中国市場で大惨敗だ。ホンダ、マツダ、スズキにいたっては売るＥＶがない。タマがなくては戦えない。

◉納車四年後というスピード感

二〇二三年は、世界ＥＶ戦争の剣が峰といわれた。まさに天下分け目の関ヶ原。

しかし、いかんせん日本側には、そもそも武器がないのだ。

それに対して中国は三度の国内モーター・ショーで矢次ぎ早に最新型ＥＶを発表。年末の広州モーター・ショーは圧巻。一一七〇台も出展。うちＥＶなど新エネルギー車が、なんと過去最多の四七〇台も展示された。それは展示車両の四割超。それだけ世界の自動車市場はＥＶなどへ急速シフトしている。なのに中国と日本のＥＶ生産比率は一五〇対一……。

生産量で、これだけ負けている。追い付けるわけがない。

とくに中国メーカー勢は三六車種もの新型ＥＶを発表し、参加者の度肝を抜いた。

それも新モデルを発表……即発売。二カ月後には納車というスピード感。これに日本メーカーが付いていけるわけがない。

たとえばホンダとソニーは共同開発した新型ＥＶ〝アフィーラ〟を発表した。

なかなか斬新なデザインのＥＶだ。しかし、いかんせん納車は二〇二六年からという。

なんと三年後……。中国ＥＶメーカーは二カ月後だ。このスピード感の格差。さらに、販売予定価格は二〇〇〇万円……!!　売れるわけがない。だから日本自動車業界は、まちがいなく壊滅する……。

自動運転技術（ＦＳＤ）日本はテスラに完敗

◉世界五〇〇万台からの道路情報

さらに日本ＥＶ完敗を決定づける要因がある。

それが自動運転技術だ。世界のＥＶ革命を牽引するテスラ。それはオート・パイロットでも群を抜いている。二〇二三年、ＣＥＯイーロン・マスクは、開発した完全自動運転技術（ＦＳＤ12）を発表して世界を驚かせた。まさにガレージからガレージまで自動運転を可能にする超技術だ。イーロンみずから運転席でカメラを回し解説する。

ハンドルは勝手に回る。まさに文字どおり手ばなしの自信映像だ。

テスラＥＶは、九台カメラを装備している。これらカメラが写した道路状況を瞬時に搭載ＡＩが判断してハンドル操作などを行う。加えて、すでに地球上を五〇〇万台超のテスラ製ＥＶが走っている。その走行データは、すべてテスラ社に集約される。つまり同社は地球上の多くの道路状況をビッグデータで所有。それを既販ＥＶ車載コンピュータにアップデート。

こうして販売された後も、テスラ車は〝進化〟し続ける。

このようなアフターサービスは、日本メーカーには逆立ちしても不可能だ。

◉交通事故二〇分の一以下に

「クルマの自動運転って怖い。やばそう」

日本人は誰もが首を振る。なるほどテスラが誇るＦＳＤですら、事故率をゼロにすることはできない。しかし「人間の運転に比べて事故率は二〇分の一以下」という。

全世界に普及すれば、世界の交通事故は二〇分の一以下になるのだ。

これは自動車保険にも反映される。つまり保険料金も二〇分の一以下になる！

テスラはすでに、そのような「テスラ保険」構想も発表している。

さすがにイーロン・マスク、抜け目がない。

同社は将来、自動車保険業界でも台風の目となるだろう。

さらにオート・パイロットの福音は、弱者を自動車社会に迎えることができることだ。

子どもは当然、運転免許を持てない。病人や身障者にもハンデがある。老人もそうだ。

このような人々にもオート・パイロット社会の到来は、福音を与える。

完全自動運転のクルマはＡＩが操縦する。

だからハンドルのない〝ＥＶタクシー〟もあたりまえになる。

ＡＩが完全操縦！〝スカイＥＶ〟の未来

◉二〇二四年オート・パイロット開始？

それは地上だけの話ではない。注目すべきは〝スカイＥＶ〟だ。

すでにドバイでは中国製ドローン・タクシーが計画されている。ドバイ政府は公共交通の大半をＡＩ化にすると公表している。

わたしは二〇二四年中に中国政府がオート・パイロット法を発表すると確信している。

それは、同国ＥＶメーカー〝Ｘｐｅｎｇ〟がすでに〝スカイＥＶ〟発売を公表しているからだ。パイロット免許も不要。なぜならＡＩがすべてを操縦する。目的地を音声入力すれば、すべてはＡＩが安全に操縦してくれる。

搭乗者は眼下の景色を楽しんでいるうちに目的地に着く。

「……そんな夢みたいな」と聞く人は絶句する。

しかし、二年前にすでに同社は〝スカイＥＶ〟の飛行映像を公開している。

推測では、習近平政権は世界にさきがけ二〇二四年内にオート・パイロット法を発表するだろう。それも陸空同時だ。すると陸上も空中も、運転者なしで移動できる。

まさに弱者にやさしい社会だ。

「クルマが空を飛んだら高圧線など危ないじゃないの」

ピントの外れた心配をする人もいる。航空オート・パイロットにぬかりはない。空中に見えない〝道路〟を設定する。その3D空路により事故はほぼ完璧に防げるだろう。

なにしろ二〇四〇年の「空飛ぶ車の市場規模は一七〇兆円」なのだ。

まさに早い者勝ち。ここでも陸路、空路とも中国が先手を打ってきた。

ここでも日本は完全に出遅れた。もはや蚊帳《かや》の外どころか、地の果てにおいてけぼりだ。

陸も空もＡＩ〝オート・パイロット〟の未来

◉驚愕！　ロボ・タクシーが来る

自動運転と聞けば、日本人は「そんなのムリに決まってる」「まだまだ、先の話でしょ」と笑う。しかし、もはや自動車業界では常識なのだ。

二〇二〇年から、すでに米国サンフランシスコ、フェニックスや中国、北京、重慶では無人タクシーが営業しているのだ。呼んだら、運転手のいないタクシーがやって来る。

ハンドルは勝手に回っている。初めて見た人は、まさに目がテンだろう。まるで透明人間が運転しているようだ。

つねに時代より一歩先を行くのがイーロン・マスク。彼は直近のオート・パイロット時代を見据えている。彼が開発したＦＳＤをインストールすれば、テスラ車は、すべて自動運転が可能となる。

◉年四〇〇万円の副収入！

マスクが構想する未来のクルマ社会は度肝を抜く。そのひとつがロボ・タクシーだ。

そもそも自動車所有者で、毎日運転するユーザーは少ない。日曜だけ乗る。

都市圏ではそういう使い方も普通だ。すると週に六日間はガレージで眠ったままだ。

「このＥＶを〝タクシー〟として働かせる」

これがロボ・タクシー構想だ。それもＦＳＤ搭載テスラＥＶだから可能となる。

まずオーナーはテスラと〝タクシー〟契約する。すると、〝タクシー〟依頼が無線で入る。ガレージが勝手に開く。テスラＥＶが自動で動き始め、〝勤務先〟に向かう。あとは自動運転タクシーと同じ。「稼ぎ」終わったら、ＥＶは勝手に戻ってきてガレージで何事もなかったかのように駐車している。

このロボ・タクシー構想を話すと、日本人は目をまん丸くする。

絶句して声も出ない。つまりテスラ車のオーナーとなることは、〝EVタクシー〟のオーナーとなることとなのだ。これは一種の〝カー・シェア〟だ。

マスクは明快に言う。

「誰もがクルマを持つ必要はない」「必要なときに呼べばいい」

ロボ・タクシー運賃はきわめて安くなる。タクシー代のほとんどは人件費だからだ。

テスラのロボ・タクシー構想には二通りある。

一つはテスラEVも個人オーナーが、所有車を〝無人タクシー〟として活用する。

もう一つは、従来のようにタクシー会社が無人タクシーを導入する。専用モデルは、なかなかかっこいい。タクシーを呼んだらこんなカッコいいクルマがやって来る。そんな未来が間近に迫っているのだ。

わずか一年半で元が取れる。

奇想天外は前者のロボタクシーだろう。誰も自分が買った電気自動車がヒマなときはタクシーとして稼いでくれるなど夢にも思わないはずだ。しかし、これは意外なサイドビジネス収入源となる。

「……ロボ・タクシーとして使うとどれくらい儲かるのか？」

この質問にマスクはあっさりと「年に四〇〇万円くらいだね」。これにはビックリだ。同社の売れ筋〝モデル３〟の価格は約六〇〇万円弱。だから、わずか一年半で「もとが取れる」。

二台所有すれば、なにもしないで年に八〇〇万円の収入になる。

なんとすばらしいビジネス・モデルだろう。

テスラのめざす人間にやさしい緑の文明

◉ＥＶは持続未来への第一歩

イーロン・マスクは二一世紀を創造する唯一の人物だ。

彼以外の傑物は見当たらない。彼のコンセプトはシンプルだ。


――持続可能な未来社会を創る――


彼はテスラを創立し、ＥＶ革命を起こした。

しかしＥＶは彼にとって持続可能な未来実現に向かう一手段にすぎない。

彼は「すべてのクルマはＥＶに替わる」と断言している。

持続可能な社会へのシフトには、それしか考えられないからだ。ＥＶはエンジン車より五倍エネルギー効率がいい。しかし地球上に五倍も効率の悪いクルマがひしめいていた。

ＥＶに替えれば、五分の四の化石燃料を節約できる。子どもでもわかる。

ガソリン車は太陽や風力など自然エネルギーで走ることはできない。ＥＶならできる。マスクのめざす未来社会は、化石燃料をいっさい使用しない自然エネルギー社会だ。ＥＶ導入は、その第一歩に過ぎない。

◉ＥＶよりエネルギー企業だ

自然エネルギーには欠点もある。それは、発電量が一定しないことだ。

しかし、その電力を貯蔵しておけば、そこから一定電力を供給できる。

そこでテスラは巨大蓄電池の開発を加速している。それが〝メガパック〟だ。

これでランダムな自然エネルギーを効率よく活用できる。エネルギー効率向上は即、企業利益につながる。この産業用巨大バッテリーは、テスラの独壇場だ。収益率は、なんと約五割……。

一億円の売上げで半分が利益となる。二〇二〇年代、急速な伸びを示している。

さらに「仮想発電所」構想にも注目。これはＡＩによる効率エネルギー分配ビジネス。

テスラは一〇〇万キロワット級巨大原発を否定している。

それは持続可能社会にそぐわない。それより一万キロワットの小型発電所を一〇〇カ所に建設し、ネットワークで結ぶ。すると一基が故障しても、九九基がバックアップできる。

これら小型発電所は風力、水力、波力、地熱……など地域にあった自然エネルギーで発電する。そして、この電力を効率よく必要なとき、必要な場所に供給する。

そのためには高度ＡＩシステムが必要となる。それにより産業エネルギーの消費電力は数分の一になる。

このように将来、エネルギー部門の収益はＥＶ部門をしのぐと見られている。

テスラの本体はエネルギー企業なのだ。

ロボット、宇宙旅行、衛星通信……未来をテスラが創る

◉人型ロボット〝オプティマス〟

二十一世紀の未来をつくるのはテスラだ。こう断言するしかない。

イーロン・マスクの夢は、ＥＶやエネルギーだけではない。

人型ロボット〝オプティマス〟開発も驚異的に進んでいる。マスクは平然と言う。

「もうすぐ針に糸を通せるようになる」

３Ｋと呼ばれる職場がある。「危険」「きつい」「汚い」。そんな過酷な作業から人類を解放する。そんな分野でテスラロボットは活躍してくれそうだ。

イーロンはまずEV工場に導入するという。驚きは、その価格だ。二万ドル程度になる予定という。冗談ぬきに一家に一台の時代が来るかもしれない。SF映画が現実のものになりそうなのだ。人間は職場を奪われる。そういう反発も出るかもしれない。

しかし人類は、より高度な高みの技術をめざせばよい。

熟練の職人の手技には、さすがにAIロボットでも到達は不可能だ。

◉東京―ニューヨーク間三六分！

イーロン・マスクCEOの〝スペースX〟も挑戦的だ。マスクは「地球を一時間以内で結ぶ」と公言し、実現してみせた。本当に同社のロケットは宇宙空間を飛び、逆噴射で着陸する。

この宇宙旅客飛行が実現すると、東京―ニューヨーク間は三六分となる。

ただし乗り物酔いする人は要注意。飛行時間のほとんどは大気圏外で無重力となるからだ。

超高速といえば、イーロン・マスクが構想するチューブトレインも凄い。

それを〝ハイパーループ〟と命名。原理は「空気鉄砲」だ。一方を真空にすることで列車は超高速で飛ぶ！　その最高速度を聞いて肝をつぶした。時速一二〇〇キロ！

ジェット旅客機ですら八〇〇キロ。地上をその一・五倍のスピードで〝走る〟列車など、誰が想像しただろう。

さらに〝スペースX〟が構想している〝スターリンク〟計画も従来の通信手段に革命をもたらす。現在の携帯は地上局からマイクロ波で情報を受信している。

マイクロ波は人体にガン、神経障害、免疫異常など、さまざまな悪影響を及ぼす。

地表にマイクロ波を照射すること自体が危険なのだ。

〝スターリンク〟は大気圏外を小型衛星で結び、そこからインターネットなど情報を得る。これなら有害マイクロ波もほとんど浴びなくてすむ。

このようにイーロン・マスクの野心と野望はつきない。

この独走態勢に、もっとも遅れている国がある。

それが、われらのニッポンなのだ。

第8章 BRICS台頭！世界の八割が白人支配に反撃開始
——南米、ロシア、インド、中国、アジアが結束

もう、だまされない、奪われない、殺されない

◉先進G7に対抗して急伸

一〇〇〇年に一度と思える、そんな人類史の大変化が起こっている。

それは二〇二三年に入って急激に進んだ。まさに世界の地殻変動が始まった。

ＢＲＩＣＳが急速に勢力を拡大しているのだ。

これはブラジル、ロシア、インド、中国、南アフリカの略だ。昨今は、これらを〝ＢＲＩＣ

Ｓプラス〟と呼ぶ。ＢＲＩＣＳの五カ国以外からも支持・参加表明が殺到している。

その勢いも凄い。アフリカ連合は全土アフリカをあげて参加を表明。さらにイラン、サウジアラビアなど中東アラブ諸国は六月、これまでの各国対立が嘘のように和解し、アラブ同盟で結束。こうして全アラブ諸国はＢＲＩＣＳへの支持・参加を表明したのだ。

八月二四日、南アフリカ、ヨハネスブルクでＢＲＩＣＳ首脳会議が開催された。

議長国、南アのラマポーザ大統領は記者会見を行った。

「……二〇二四年一月一日から新たに六カ国を正式加盟国として招待する」

それは――アルゼンチン、エジプト、エチオピア、イラン、サウジアラビア、ＵＡＥ（アラブ首長国連邦）。

この時点でＢＲＩＣＳ加盟国は一一カ国となった。しかし、この六カ国を含め、これまでに二〇カ国以上が加盟を希望している。その数は急速に増えている。さらにイスラム協力機構（五七カ国）も同様に参集。全世界のイスラム国家が、ＢＲＩＣＳへの支持を表明したのだ。

同首脳会議も加盟国拡大や協力関係の強化を進めていくという。

この会見の場に同席した中国の習近平主席は、加盟国の拡大を「歴史的な出来事」と称《たた》えた。

さらにオンラインで参加したロシアのプーチン大統領も、ＢＲＩＣＳ進展に歓迎の意を表した。

◉大航海時代からの支配に終止符

この急激台頭は一言でいえば、〝闇の勢力〟への反撃である。

〝やつら〟は自分たち以外を〝ゴイム（獣）〟と呼んできた。

自分たち以外は「人間ではない」と公言してきたのだ。そして「地球の人口を五億人以下にする」と断言。歴史上、数多くの大量殺戮をくり返してきた。

戦争も、医療も、そしてコロナもすべて〝人口削減〟の企みだった。

〝やつら〟は残忍無比な手口で北米を奪い、南米を奪い、豪州を奪い、そしてアフリカを奪った。次に狙いを定めているのが、われらが緑の列島だ。

この「白い悪魔」たちは、地球を丸ごと支配する――と公言してきた。

「フリーメイソン憲章」（一七二三年）、「地球統一計画二五カ条」（一七七三年）、「アジェンダ21」（一九九二年）などから明らかだ。

さかのぼれば約五〇〇年前、大航海時代から、かれら「白い悪魔」たちにだまされ、奪われ、殺された有色人種たちも、堪忍袋の緒がブチ切れた。

こうなるとアラブの地を略奪してきたイスラエルは四面楚歌となった。

いうまでなく、この国は「白い悪魔」の一翼だ。

イスラエル・ハマス戦争は彼らの焦りともとらえられる。

ウクライナ戦争でばれた「白い悪魔」の正体

◉白色人種VS有色人種の対決

世界史における白人優位のバランスが急激に壊れ始めた。

世界勢力の天秤《てんびん》は、有色人種の側に傾き始めたのだ。それらは発展途上国であり、第三世界と蔑《さげす》まれてきた国々だ。それは豊かな北半球に対する南半球からの反撃でもある。

そこに反グローバリズム諸国が殺到しているのだ。

こうして、すでに、第三世界経済圏（グローバル・サウス）が形成されつつある。

これはG7、EU、NATOなど〝白人〟国家連合に対抗する。

わかりやすく言おう。欧米帝国主義で国家も財産も文化も言語も、そして生命すら奪われた〝有色人種〟連合だ。その恨みつらみが噴出してきたのだ。

急速なBRICS結集のきっかけとなったのは何か？

一つがウクライナ戦争だ。それは〝闇の勢力〟と〝光の勢力〟の対立なのだ。

日本人だけが、この構図をまったく理解していない。

日本人は、ほぼ全員「プーチンは悪人だ」と眉をひそめる。

日本の政府、マスコミとも完全に悪魔勢力に盗まれてしまった。だからメディアは悪魔の〝洗脳〟装置となっている。

〝闇の勢力〟はウクライナを闇から支配、悪魔の砦とした。四十カ所以上の生物兵器製造施設を建設し、東ウクライナでは、ネオナチ軍隊組織〝アゾフ大隊〟によりロシア人の殺戮をくり返させた。何万人ものロシア人が虐殺されたという。

これはプーチンに軍事行動を起こさせるための挑発だ。

つまり一発殴らせて百発殴り返す。ハマスによる攻撃もまったく同じだ。

四分の三の国が、ロシア制裁に「反対」

◉ロシアでなく欧州包囲網に

〝闇の勢力〟が狙ったのはプーチン排除である。

トランプ、プーチン、習近平は、同じローカリストであり、同志である。

〝やつら〟は、まずアメリカ不正選挙でトランプを排除した。次のターゲットがプーチンなのだ。

ロシア人を虐殺しプーチンを挑発し、ウクライナ戦争に引きずり込む。

国際的な制裁決議でロシア包囲網を形成する。ところが悪魔の企みは失敗に終わった。中国、インド、中東などの諸国は、ロシア制裁に手を挙げなかった。

これらの国々は、「白い悪魔」の深謀に気づいていた。気づかなかったのが、われらが岸田首相だ。

Ｇ７各国は「ロシアの石油・天然ガスは買わない！」と決議。するとロシアは「売ってやらない」と反撃。プーチンはさらに付け加えた。

「石油・天然ガスが欲しければ、ルーブルなら売ってやる。なければ金と交換だ」

こうして戦争前には暴落すると見られていたルーブルは暴騰した。

白人の帝国主義に欺罔《ぎもう》され、翻弄され、略奪されたアジア、アフリカ、中南米など低開発国は、もうだまされない。

ウクライナこそイルミナティ、フリーメイソン、ディープステート（ＤＳ）の巣窟《そうくつ》であることを見抜いていた。だから世界の四分の三にも相当する国々がロシア制裁に反対もしくは棄権したのだ。なかでも中国、ロシア、インドの結束は大きい。

ＢＲＩＣＳ総人口三二億人。そこにアフリカ、東南アジア、中南米、南米……が結集。アッという間に欧米包囲網が形成された。

他方、追い詰められたＧ７は七・七億人。両者の購買力平価やＧＤＰでも二〇二〇年、ＢＲ

ＩＣＳが逆転している。
ロシア制裁は気がつけば、Ｇ７制裁となってしまったのだ。

◉昇るＢＲＩＣＳ、沈むＧ７

こうしてＧ７の国々は、深刻なエネルギー不足に陥っている。
加えてドル石油体制が崩壊し、すさまじいインフレにのたうちまわっている。
ＢＲＩＣＳ台頭は、まさに人類の希望だ。
そこに八割もの国々が支持・参加を表明している。
それに反比例して地球を支配してきた白人国家が凋落している。
ＢＲＩＣＳとＧ７を比較すれば、その対比は決定的だ。

世界約八割の国々がBRICSへ支持、参加を表明している

拡大BRICS
・ブラジル
・ロシア
・インド
・中国
・南アフリカ
＋
新加盟国

	GDP	人口
サウジアラビア	世界17位	3640万人
アルゼンチン（未定）	22位	4623万人
アラブ首長国連邦	28位	944万人
エジプト	32位	1億1099万人
イラン	41位	8855万人
エチオピア	61位	1億2337万人

主要7カ国（G7）
・米国
・日本
・ドイツ
・英国
・フランス
・カナダ
・イタリア

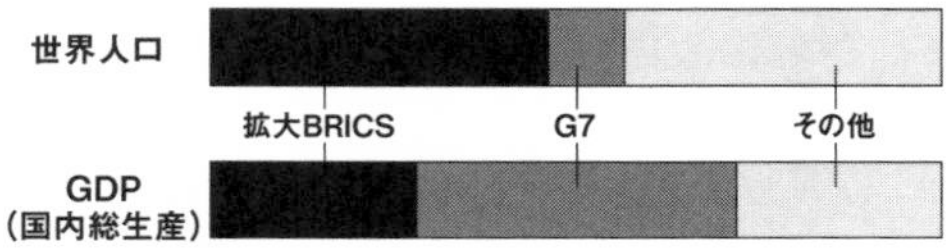

GDP、人口は世界銀行による

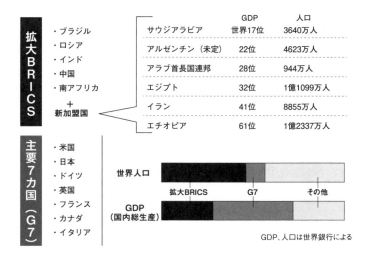

人口比でみると約四倍半だ。そしてＧＤＰも二〇二三年、Ｇ７を抜いている。

世界地図を見てもＧ７と版図を二分している。これに中南米、アフリカ全土、アラブ全土、中央アジア、東南アジア各国が加入する。

コロナ偽パンデミックで第三世界は覚せいした

◉Ｇ７人口壊滅、ＢＲＩＣＳ不変

ＢＲＩＣＳ台頭の理由がもう一つある。

それがコロナ偽パンデミックだ。第三世界の人々の、その背後にある悪魔の殺意に気づいた。

だからメキシコ、ブラジル、アフリカなどの指導者は、コロナ・ワクチン断固拒否を表明した。

そのためアフリカの五人の大統領が暗殺された。

それでも南の国々は、ワクチン拒否を貫徹した。命まで投げ出して国民を救ったリーダーたち。その決死の成果は、世界の人口予測（『ディガール報告』）に如実に表れた。

誰もが息が止まる。同機関は人口研究所として歴史がある。

しかし二〇二五年、世界人口予測は信じられない。

アメリカ二億三〇〇〇万人、日本二三〇〇万人減少……!?

イタリア一八〇〇万人、フランス二七〇〇万人減……。

これに対して中国、インド、ロシア、ブラジル、インドネシア、メキシコは不変。

奇《く》しくもBRICS側は変化なし。そしてG7各国は壊滅……。

その違いはmRNAワクチンを打ったか、否かだけだ。

しかし「白い悪魔」は無慈悲だ。自国民であっても〝ゴイム〟だから、ワクチン打ちまくって殺している。そして良心はまったく痛まない。

⦿G7の〝ゴイム〟を大量殺戮

それにしてもG7側の人口激減がハンパない。おそらく「ディガール報告」は、人類への警告をこめて、その衝撃報告を行ったものと思える。

第三世界の国々は、コロナワクチンの正体が殺人生物兵器であることを見抜いていた。

だからBRICS各国でmRNAワクチンを国民に打った国は、皆無といってよい。

プーチンにいたっては「国内にあるmRNAワクチンすべて廃棄せよ」と命じた。

日本の岸田政権は「まだ国内に八億回以上ある」ので子どもや老人に打たせるという。

七回、八回……まさに「死ぬまでうちます。とどめのワクチン」。

ある衝撃の内部告発もある。一青年の命がけの暴露だ。じつはファイザー社は二〇二三年、ボランティアを募ってmRNAワクチンを二〇万人に接種する大規模な実験を行っていた。そして……一〇年が経過。彼の独白は驚愕だ。

「その被験者のうち生きているのは私を含めて五人だけ。私も心臓発作に見舞われ、長くないでしょう」

つまりmRNAワクチン注射を受けた二〇万人は、一〇年後には全員死んでいたという。にわかに信じがたい。しかし彼が嘘を語る根拠はどこにもない。

非常に気になるのは、接種後五年過ぎから大量に死者が出たという証言だ。

本当の悲劇は、これからなのだ。

BRICS新通貨登場……ドル石油支配は終わる

◉新通貨は〝資源〟通貨となる

聞くところによると、インドネシアのジャカルタにBRICS本部が設置されるという。

さらにBRICS代表者会議で「新通貨」も発表された。消息筋によれば、それは金や石油などに裏打ちされた〝資源通貨〟となる。つまりは兌換《だかん》通貨だ。

それが、これからの世界基軸通貨となることは、まちがいないだろう。

ただ純粋の金本位制ではないようだ。理由は世界的な「金」の供給不足だ。担保の「金」が乏しければ、多く通貨を発行できない。そこで石油などの保有資源も担保に認める流れという。

アメリカの〝闇勢力〟は、一九七一年ニクソン・ショックと同時期に中東諸国に対してドル石油体制への従属を強要した。従わないと軍事力で懲罰した。ヤクザも顔負けだ。

こうしてトイレットペーパー・ドルは、軍事力で〝担保〟されたのだ。

アラブ諸国は涙を飲んでこの無理難題に従った。しかし、まさに怒りは沸点に達した。

BRICS結集と台頭で、彼らは一斉にドルを見捨てた。貿易取引でドルは完全に排除されている。各国は堂々と自国通貨で貿易取引を始めた。そして国力、経済力も衰退したアメリカにはもはや制裁能力すらない。こうして世界のドル離れが加速している。それに反比例してドル凋落も凄まじい。世界支配してきたドル石油体制の覇権は確実に瓦解《がかい》する。

バイバイ、アメリカ！　ニー・ハオ、チャイナ！

◉敵対から和平へ！　アラブ諸国

中東情勢も激変した。三月一〇日、敵対しあっていたサウジアラビアとイランが突然、国交正常化で合意。世界に驚きが走った。

一方、イスラエル国内では、右寄りネタニヤフ政権に批判が高まっていた。

サウジ、イラン両国の和解を仲介したのが中国の習近平だ。続いてサウジはシリアとも国交正常化した。シリアはアラブ連合に復帰した。さらにシリアとチュニジアも一〇年ぶりに外交関係を正常化している。トルコもスーダン、リビア、ソマリアなどへの関係改善に動きだした。まさにアレヨアレヨである。誰もが中東のこの急激な変化についていけない。

――敵対から和平へ――。

中東情勢は歴史的な急展開をみせている。

仲介役として中国の動きは無視できない。これらアラブ諸国の和平合意の背景に、中国の習近平の存在が大きい。中東の国民間で次のようなフレーズが流行っている。

――バイバイ、アメリカ！　ニー・ハオ、チャイナ！――

◎「戦争」より「経済」で豊かに

彼らの心情は理解できる。

アメリカは中東に〝戦争〟を持ち込んだ。

中国は……中東に〝経済〟を持ち込んだ。

どちらが国民にとって幸せか？　子どもでもわかる。

しかし中東平和と結束に果たした中国の役割を、日本メディアはいっさい報じない。「習近平は悪人」「プーチンは悪魔」とディープステートに命じられるまま、〝洗脳〟報道をくり返している。こうして〝お花畑〟の日本だけが国際情勢から取り残されている。

そして日本人だけが、そのことに気づいていない。

ＢＲＩＣＳの一翼、中国の平和外交のアピールはわかりやすい。

「『戦争』でなく『経済』で競いましょう。お互いに豊かになりましょう」

〝殺しあい〟より〝儲けあい〟のほうが楽しい。

なんと、習近平はイスラエルとパレスチナの和平仲介にも動いていた。

このアラブ諸国の和平同盟を象徴する動きがロシア、イラン、トルコ、シリアの四カ国外相会議だ。トルコ大統領選挙の直前にぶっつけてきた。ロシアのラブロフ外相が主宰していることからも、ロシア仲介による中東の和平合意をアピールするものだ。

これはＢＲＩＣＳ寄りのエルドアン大統領支援の意味もある。

とにかく、あれよあれよと言う間もなく中東諸国は和平合意によって一枚岩に結束してきた。

考えてみればアラブ諸国を分断、敵対するよう仕向けてきたのが欧米列強の謀略だった。

そのＤＳの深謀に中東諸国も気づいたのだ。

戦争で失うものは余りにも大きい。逆に和平で得るものは無尽蔵なのだ。

もはや〝闇の勢力〟がこのアラブの新たな結束を乱すことは不可能だ。

こうして中東諸国は、すべてBRICS勢力に参加する。

……こうして欧米の白人勢力は、さらに孤立していく。

バイデン政権の児童売買〝仲介〟がばれた

◉八万五〇〇〇人が〝行方不明〟

BRICS台頭と欧米への逆制裁で、G7の崩壊がすさまじい。

そしてDS中枢に位置するバイデン政権の闇も次々と暴かれている。

まずメキシコ国境を開放した真の〝理由〟が暴露されたのだ。

バイデンの国境開放は異常というより狂気だ。本来なら国境は国家を守るためにある。

だから不法入国を防ぐため国境警備兵が配置されている。

トランプ大統領が「国境に塀を建てた」ことを非人道的とメディアは非難してきた。

トランプは正式手続きを経た移民は歓迎すると明言している。

夜陰に乗じて鉄条網を破ってくる不法入国は阻止する。それは、どの国家においてもそうだ。

しかし狂ったバイデンは、国境を不法移民たちに開放した。

これは、国家崩壊を誘っているのと同じだ。

そのため大量の不法移民たちがアメリカになだれこんできた。

その数が凄すぎる。一カ月で二五万人……。わずか四カ月で一〇〇万人だ。

こうして乱入した移民たちは、すでに六〇〇万~七〇〇万人にも達する。

それがアメリカの治安や経済の悪化に拍車をかけている。

◉スポンサーとは〝売買業者〟

そして——。なぜバイデン政権がこれほど大量移民の流入を許したのか？

その恐ろしい理由が暴露されたのだ。人身売買である。

米『フォックス・ニュース』は二〇二三年四月二七日、スクープ記事を放った。

「……バイデン政権が国境での児童人身売買を奨励している」

「——著名な活動家が『バイデン政権は、国境付近で児童売買を奨励している』と主張。さらに『売買業者は、別の名前を使って政府職員がわからないように、子どもの〝スポンサー〟になりすましている』」

四月二五日付け『ザ・ニューヨーク・タイムズ』も「国境を越えて来た移民の子どもたちが

残酷な仕事で酷使されている」と続いて告発した。

記事によれば「バイデン政権になって、八万五〇〇〇人の子どもたちが〝行方不明〟になっている」というから戦慄する。

人身売買の実態とは――、

(1)バイデンが国境開放したため、大量の子どもたちが（緊急保護）シェルターに収容された。

(2)バイデン政権は「早く〝スポンサー〟に渡すように」保健福祉省の現場職員に要求する。

(3)いっぽうで〝子どもを身受けするスポンサー〟審査は、じつにずさんに行われている。

(4)こうして過去二年間、八万五〇〇〇人以上の子どもたちと連絡がとれなくなっている。

（この子どもたちは人身売買業者の〝犠牲〟になったとみられる）

◉数十億ドルの児童売買を仲介

下院女性議員は怒りをこめて告発する。

「……バイデン一族が米国、ウクライナの売春組織の人身売買を行ってきた事実を告発する二〇〇〇ページの証拠記録を見終わった」

四月二六日、下院司法委員会でタラ・リー・ローズ女史は衝撃証言を行った。

彼女は保健福祉省に勤務する。それは以下のような驚愕の内部告発である。

「……アメリカ政府は、数十億ドル規模の児童売春悪質業者の『仲介業者』となっている。被害者の子どもたちは――、

（1）密輸業者や人身売買業者に借金を返すためと殺場、工場、レストランで夜勤させられている。（2）児童売春のために売られている。（3）虐待、人身売買を受けていることを訴えるため、ホットラインに電話している。（4）母国で募集され、米国境まで密輸され、米国で〝スポンサー〟に引き渡される」

――このような高度なネットワークを通じて人身売買がされる。

ローズ女史は、保健福祉省の内部で行われている〝犯罪〟を、実名、顔出しで下院司法委員会で証言した。政府福祉機関が巨大人身売買シンジケートの一端を担っていた。

これがバイデン政権の悪魔的な一面なのだ。

ローズ女史は「現代の奴隷制度」と告発する。

①保健福祉省が不法移民の未成年の子を〝スポンサー〟に預ける。

②これは人身売買業者の搾取から子どもの〝保護〟が名目である。

③スポンサーには子どもたちを〝商品〟〝資産〟と見なす人もいる。

④スポンサーには犯罪者、人身売買業者、国際犯罪組織員もいる。

⑤政府はこれら業者に子どもたちを供給する仲介者となっている。

ケネディ暗殺証拠文書も公開拒否とは

トランプ大統領は政権時、これら非人道的な児童売買業者を次々に摘発・逮捕していった。

しかしバイデン政権は、まるで真逆だ。

米政府そのものが人身売買ビジネスに荷担しているのだ。いや、国際人身売買シンジケートの中枢に位置している。しかし、これら米メディアの衝撃告発を日本のマスコミは一行も報道せず、黙殺している。あなたは、そんな新聞、テレビを今日も見ているのだ。

バイデン政権の〝犯罪の闇〟は、それだけではない。

バイデンは一九六三年、ジョン・F・ケネディ大統領暗殺事件の数千ページもの文書公開を拒否している。これは明らかに情報公開法違反だ。政府が違法行為を行っている。

このバイデン政権の〝犯罪〟を舌鋒《ぜっぽう》鋭く告発したのが『フォックス・ニュース』の人気キャスター、タッカー・カールソンだ。

◉「タッカーを黙らせろ！」切られたキャスター

「……機密文書にアクセスできる人に取材しました。彼は証言します。『この国は、私たちが思っていたのとは、まったく違う国になってしまった。全部が〝フェイク〟だ！』」

タッカーは自分の報道番組で爆弾告発を行った。

アメリカにも正義感の塊のジャーナリストが存在したのだ。

全米ネットワーク放送『FOX』の看板記者が体を張ってバイデン政権をグローバリストと名指し告発したのだ。

じっさいケネディ暗殺〝犯人〟はCIAであり、アメリカを腐敗堕落させているのはDSである。極秘文書には明らかにそう書かれている。人々もそうささやいている。

それを他のマスメディアは「すべてフェイク」と切って捨ててきた。

〝やつら〟はNWO（新世界秩序）を目指すファシストたちだ。その正体は悪魔教徒だ。

だから大統領暗殺や児童売春、人身売買などにも何の罪悪感も感じないのだ。

勇気あるタッカーは、『FOX』を解雇された。しかし、この熱血漢に手をさしのべたのがイーロン・マスクだ。彼はみずからが買収した〝ツイッター〟（後に〝X〟）にタッカーを招聘《しょうへい》し、動画配信の場を提供した。

この新天地でタッカーは水を得た魚となった
初回の動画配信の再生回数は、一億回突破というから驚く。

「闇の国際検閲機構（ＣＩＣ）が存在する」（Ｅ・マスク）

◉悪の報告書〝ツイッター・ファイル〟

テスラＣＥＯであったマスクが、どうして畑違いのツイッターを買収したのか？

聞かれた彼は、ただ一言――。「言論の自由!!」

一国の大統領の言論まで封じるＤＳに、我慢がならなかったのだ。

その後、マスクの取った行動は、まさに電光石火……。

ツイッター買収当日、世界各国の全ＣＥＯを解雇。翌日には大多数の社員を解雇した。

さらにマスクはマット・タイビ、マイケル・シュレンバーガーの二名をスタッフに指名。ツイッター社が過去に行ってきた〝悪事〟の徹底調査を命じた。

その膨大なリポートが〝ツイッター・ファイル〟だ。

二名は報告書を携えて議会下院で爆弾証言をしている。

◉言論圧殺〝検閲機関〟（ＣＩＣ）

〝ツイッター・ファイル〟の中身は驚愕的だ。

「……億万長者グローバリストたちは、言論の自由を封じ込めるために、公権力と私権力を統合して、新しい『言論官僚機構』を構築している。これが〝検閲産業複合体〟（ＣＩＣ：Censorship-Industrial Complex）」

ついに〝闇勢力〟の恐ろしい謀略が白日にさらされた。

下院で二名の告発者は、こう証言した。

「……ＣＩＣは米国内だけでなく、明らかに世界規模で存在する。〝かれら〟は批判者をすべて〝排除〟する。『言論の自由』をなくし、『個人の自由』を消滅させる。それを目的とした巨大システムが国家の中で、密かに設立されていた」

だから今回のＦＯＸキャスター、タッカー排除劇も、その一環だった。

〝排除〟とは最終的には〝殺害〟を意味する。

それは日本でも同じだ。

「……アメリカに逆らったら日本は生きていけません。しかしアメリカのＤＳの真下にいたら、日本は生きていけない」（原口一博議員）

◉世界メディアはＣＩＣの監視下

なぜ、世界のマスコミは真実を伝えないのか？

なぜ、世界の政治家は、真実を語らないのか？
なぜ、世界の学者たちは真実に口を閉ざすのか？

理由は、背後から彼らを「監視」「命令」「恫喝《どうかつ》」する闇の国際組織（ＣＩＣ）が存在しているからだ。ＣＩＣにより世界レベルで、言論圧殺が今日も行われ続けている。

こうして世界のメディアは腐敗していった。

評論家、及川幸久氏は腐ったニュース業界の実態を解説する。

〈ニュース操作の仕組み〉

（１）ニュース業界では「真実」を伝える自由に〝限界〟がある。

（２）その限界を越えようとする記者・キャスターはクビになる。

（３）業界には〝言えないこと〟という、腐敗したルールがある。

（４）英語圏メディア業界人は、このことをみんなわかっている。

（５）人々が「真実」と思うことを言えないのなら自由社会はない。

（６）なぜなら「言論の自由」は、民主主義の前提条件だからだ。

（７）それこそがアメリカ憲法「修正第一条」の意味なのである。

（８）「言論の自由」を認めるプラットフォームはほぼ皆無に驚く。

（９）世界で、最後に残ったのが（マスク氏買収の）ツイッターだ。

――以上。〝闇の勢力〟と〝光の勢力〟の対決は、いまも続いている。

そしてBRICS台頭に見られるように、〝光〟側が勝利に向かっている。

バイデン政権の人身売買への荷担なども暴露された。

イーロン・マスクの奮闘で暗黒の言論弾圧機関CICの存在も、白日の下にさらされた。

確実に悪魔勢力は追い詰められている。……勝利はあと一歩だ。

腐敗と犯罪と麻薬で、アメリカは崩壊する

◉ゾンビ映画のような街角

「アメリカ経済はすでに崩壊している」とベンジャミン、フルフォード氏。

「FRB（連邦準備制度）は、米財務省に支払うべき資金送金ができない。つまり、不渡りを起こしている。それでもFRBとアメリカ政府は、嘘に嘘を重ね、今も倒産の事実をごまかし続けている」「インフレ率を実際より低く見せかけ、GDP伸び率を水増し。正しい計算では、アメリカGDPは年率二〇％近く下落している」

そして、金利上昇で国民生活も崩壊に向かう。過去一年、ローン破産でホームレスになった

カリフォルニア市民が三七・六％も急増。国民九割の生活水準は、一九七三年をピークに下落し、多くのアメリカ人が発展途上国並みの生活に転落している。

経済崩壊を象徴するのが大都市の店舗撤退だ。サンフランシスコでは、二〇一九年に二〇三店舗あったものが、二〇二三年五月には一〇七店舗に半減……。

全米で同様の小売り崩壊が進行している。九月二六日、フィラデルフィアでは一〇〇人以上の窃盗集団が複数店舗を次々に襲撃。この騒動で、一帯すべてのコンビニや店舗は、一斉に休業に追い込まれた。

治安も最悪だ。ワシントンDCでは、前年比で「放火」三〇〇％増加、「自動車盗難」一一七％増加、「殺人」一七％増加、「強盗」五二％増加、「性的虐待」三五％増加……。

二〇一九年から比較すると二二年の「殺人」は九六％も激増している。

そして、アメリカ人の崩壊を表すのが合成麻薬〝フェンタニル〟中毒の氾濫《はんらん》だ。

〝効果〟はヘロインの五〇倍、モルヒネの一〇〇倍、過剰摂取で、毎年七万人が死んでいる。

中毒者は歩くことも困難となる。

ダウンタウンは中毒者であふれ、まさにゾンビ映画のような光景だ。

第9章 追い詰められた〝闇勢力〟は日本を最後の〝砦〟にする
――NATO、G7、CDC……みんな日本に逃げて来る

十字軍以来……白人至上主義の崩壊が始まる

◉BRICSの欧米包囲網

ディープステート（DS）は追い詰められている。

だから〝やつら〟は焦っている。手負いの獣と同じだ。いや、手負い、、、の悪魔だ。

なにをするか、わからない。もはや破れかぶれなのだ。

DSの砦は、欧米だった。しかし、その凋落ぶりはすさまじい。まさに眼を覆わんばかりだ。

崩壊はウクライナ戦争から始まった。

宿敵プーチンを戦場に引きずり込み、ロシア弱体化を謀《はか》った。

しかしロシア包囲網の目論見は外れた。中国、インド、中東の国々は悪魔の企みを見抜いていた。こうしてロシア制裁の網は完全に綻《ほころ》びた。それは逆にＢＲＩＣＳ諸国を結束させた。

逆に欧米包囲網が形成されたのだ。

これは、まさに一〇〇〇年に一度の大激変と言っても過言ではない。

十字軍以来の白人至上主義が一瞬にして崩壊に向かい始めたのだ。

◉〝やつら〟こそ悪魔教徒だ

ユダヤ教徒は異教徒を〝ゴイム（獣）〟と見下した。

この地上は唯一神〝ヤハウェー〟が彼らに与えたものである。

だから〝ゴイム（獣）〟たちを〝駆除〟しなければならない。

なんという悍《おぞ》ましい思想であろうか……。

キリスト教は異教徒は〝神の子〟ではないと教える。邪教を信じる者と呪った。

そして邪教徒は地獄に堕ちると信じていた。

ローマ教皇は異教徒は殺してもよい、国や土地は奪ってもよい、〝神〟は許された、と勅令を出している。

なんと恐ろしい思想であろうか……。

こうして〝やつら〟は〝神〟の御旗《みはた》の下に、正々堂々と虐殺と略奪を一〇〇〇年以上の長きにわたってくり返してきた。

戦慄するとは、このことだ。まさに〝やつら〟こそが悪魔そのものではないか。

恐るべし。〝やつら〟こそ悪魔の権化《ごんげ》……サタニスト（悪魔教徒）と化しているのだ。

そして、皮肉なことに、ユダヤ教、さらにキリスト教までもが崩壊、衰退に向かっている。

最新科学・量子力学は瞬間移動（テレポーテーション）が可能であることを証明した。

つまり旧約聖書で記述される「アダムを創った」〝神〟とはエイリアンだった！

こうして、西洋の〝神〟概念は根底から崩壊した。

ドル石油体制の壊滅、アメリカの国家崩壊へ……

◉ローカリズム反撃の蜂起

欧米は、いずれも破綻と壊滅の危機に瀕《ひん》している。

ざっくり言って、欧州は〝イルミナティ〟の拠点である。アメリカは〝フリーメイソン〟の拠点である。欧州随一の財閥ロスチャイルド家が一七七六年に〝イルミナティ〟を創設。同年、アメリカ独立宣言に署名した五六人のうち五三人は〝フリーメイソン〟だった。

つまり、かたやヨーロッパを支配、かたやアメリカを支配したのだ。

両者は密約を結び、一体化して、世界を闇から動かしてきた。その経緯はすでに述べた。

そして、〝やつら〟の三段重ね支配構造の根底が揺らぎ始めた。亀裂が入ってきたのだ。

それがローカリズムの反撃だ。

トランプ前大統領の「アメリカ・ファースト！」は、その典型だ。

世界はグローバリズムvsローカリズムで二分されている。

BRICS陣営は、いうまでもなく後者だ。

トランプは大統領に復活したら、まちがいなくBRICS陣営に参画する。

◉ペトロ・ダラーの悪魔的支配

しかし、それまでにアメリカという国家がもつだろうか……？

大国アメリカは、いまや崩壊の危機に瀕している。

その典型がドル石油体制の終焉だ。

一九七一年、ニクソン・ショック。時のニクソン大統領は突然、ドルと「金」の交換を停止した。この瞬間、ドルは兌換紙幣から不換紙幣――つまりトイレットペーパーと化した。

他方でアメリカは、石油決済をドル以外で行うことを〝禁止〟した。

中東産油国は困惑、憤慨した。いったい、なんの権限があって……!?

産油国が自国通貨で、石油取引を行う。それは当然の権利である。

しかし超大国アメリカは、それを許さなかった。独自に石油貿易を行う国は、軍事的に制裁した。はやくいえば、爆撃、侵攻、〝皆殺し〟にした。首脳たちは暗殺、惨殺だ。

ヤクザも顔負けの恐ろしい手口だ。こうしてイラクのサダム・フセインは捕らえられ絞首刑に、リビアのカダフィは、公衆の面前でなぶり殺しにした。

その悪魔的所業に怯《おび》えた中東アラブ諸国は、いやいやドル決済に応じた。

こうしてドル石油体制（ペトロダラー）はおびただしい流血によって築かれたのだ。

しかし、このような屈辱にいつまでも耐えきれるわけがない。

◎ドル石油からBRICS新通貨へ

堪忍袋の緒が切れるとはこのことだ。二〇二三年六月、互いに反目し合っていた中東アラブ諸国は、アッという間に結束した。そして一斉にBRICSに結集した。

この瞬間にドル石油体制（ペトロダラー）は崩壊した……。

ドル凋落は即、アメリカ凋落である。

昨今のアメリカ崩壊は眼も当てられない。

まさにローマ帝国崩壊もかくやと思うほどの末期症状なのだ。

◉九五〇ドルまで万引きＯＫ……!?

まず治安の悪化がすさまじい。

カリフォルニア州では、九五〇ドルまでの盗みは「罪に問わない」という信じがたい法律が制定された。ニューヨーク州は一〇〇〇ドルまでＯＫ！　同様の州法が次々に周辺に波及している。その理由は「治安が悪化しており、警察能力が万引きまで対応できない」。同様の理由で麻薬や違法ドラッグが、実質〝合法化〟されている。さらに行政も財政破綻しゴミ収集すらままならない。加えて金利上昇でローン破産が続出。ホームレスも激増している。さらに加えてバイデン政権がメキシコ国境を〝開放〟したため、不法移民が大量に流れこんでいる。

こうして一〇〇〇万人余もの不法移民が大都市の空港やホテルなどを占拠し、さらに治安を悪化させている。フィラデルフィアやサンフランシスコなどなど……。街は窃盗団や麻薬中毒者（ジャンキー）、売人、不法移民、ホームレスがあふれて、世紀末のような様相を呈している。

殺人、強盗など治安悪化にともない、富裕層は次々に大都市を脱出し始めている。

三〇万民兵組織が蜂起？　アメリカは内戦に突入か

◉憲法も保障した民兵組織

アメリカには約三〇万人もの民兵が存在する。

民兵組織は約三〇〇余り。彼らの大半は元警察官や軍人だ。アメリカ憲法は民兵組織の存在を認めている。わかりやすくいえば自警団だ。彼らは全員ボランティア。武器も装備も軍服でさえ自前だ。しかも訓練と規律は行き届いている。

彼らの存在理由は地域の安全と秩序を守ること。自警団ごとの連携、統制もとれている。

これら民兵の全国組織が「ミリシア」（Militia）だ。

その存在が世界に知られるきっかけとなったのが、二〇二〇年、大統領不正選挙だ。

「『我らは戦う！』アメリカ民兵組織が声明」

わたしは自著『アメリカ不正選挙２０２０』（成甲書房）で解説している。

「――国家・政府から完全に独立した、市民の市民による市民のための〝軍隊〟である。通称は民兵と呼ばれる。アメリカ合衆国では憲法修正第二条によって、『武器を保持する権利』が保障されている。よって民兵組織の歴史は古い。独立以来〝ミニットマン〟や〝テキサスレンジャー〟など多数の民兵組織が存在してきた』（同書）

◉不正選挙に武装蜂起を警告

露骨な不正選挙の現実に直面し、「ミリシア」はウェブサイトで声明を発表した。

「われわれはアメリカを守る愛国者のために存在している」「米国は現在、国内の腐敗した民主党員に支配されている」「政府は、二〇二一年一月一六日前にバイデン大統領当選を阻止せよ」「もし、できなければ、一六日から軍事行動を起こす」

軍事行動名は〝ＰＡＦＡ２０２１〟。目標は（1）トランプ大統領と現政権陣営の安全保障。（2）民主党のすべての反逆者を逮捕、軍事裁判にかける。（3）腐敗主要メディアの閉鎖。

さらに「声明」は続く。「政府転覆がわれわれの目的ではない」「病院・学校などでは、自己防衛以外で発砲しない」「三つの目標を達成すれば停戦する」

これは、まさに南北戦争以来の「内戦」（シビル・ウォー）だ。

しかし「ミリシア」は「声明」の最後に、こう付け加えている。

「……ただし一七日に、『ミリシア』連合に所属する同志が一万五〇〇〇人集まらない場合は行動に移さない」

結果は「ミリシア」の武装蜂起はなかった。同志が一万五〇〇〇人集まらなかったからか。あるいはトランプが説得し軍事行動を思いとどまらせたか……。

わたしは、後者ではないかと思っている。

なぜならトランプは「緊急放送」でディープステートの選挙犯罪を暴き、反逆者リストを公表することもできた。しかし彼は唇をかみ締めて、大統領の座を去った。

それは「内戦」という最悪事態を避けるための決断だと信じる。

「……アメリカ人同士が血を流すのは避けたい」

これは、「ミリシア」としても同じだろう。こうしてバイデンは大統領の座を盗んだ。

◉次の不正選挙では内戦勃発

以来、アメリカの腐敗はさらに加速し、堕落の淵に堕ちている。

軍事評論家マックス・フォンシュラー氏は断言する。

「……一一月大統領選挙が中止になったり、不正があったら、間違いなく内戦になるでしょう」

そのときテキサス州は独立を宣言するだろう。その他、いくつかの州も連邦政府からの離脱を表明すると見られている。こうしてアメリカ合衆国は、文字どおり分裂解体する。

民兵組織が軍事行動を起こしたとき、ペンタゴン（米国防総省）はどうするか？

当然、民兵の反乱を鎮圧する……と誰もが思う。しかし内部情報によれば、米軍の八割はバイデンを大統領として認めていないという。軍部も二分されているのだ。

それ以前に、政府の財政破綻により米兵の待遇も悪化している。

はたして彼らは同じ国民の民兵たちに銃を向けることができるだろうか？

――以上のように〝闇の勢力〟の片方の〝砦〟アメリカは、もはや落城寸前なのだ。

〝闇の勢力〟が緊急避難先を模索するのも、当然といえる。

日本を緊急避難先にしろ！〝先住民〟は皆殺しだ

◉英国は首相乱立で大混乱に

アメリカと同様にヨーロッパの没落も、目も当てられない。

まず〝フリーメイソン〟の祖国イギリス政権は、大混乱状態にある。

二〇二二年九月からわずか二カ月で首相が三人も交替するという醜態だ。

ジョンソン、トラス、スナクと矢継ぎ早の首のすげかえ。

まさにリーダー不在を絵に描いたようだ。

「……このような短期間に次々と首相が変わることは、イギリス政治ではきわめて異例」（『東

洋経済』オンライン）

二〇一六年からの六年間でも首相が六人も替わっている。

混迷の一因はウクライナ戦争だ。G7の中でも強硬にウクライナ支援を主張してきたのがジョンソン、トラスだ。しかし新任のスナク首相は中国寄り。

当然、政策はBRICS寄りとなる。

二〇一六年、国民投票による〝ブレグジット〟（EU離脱）も混迷に拍車をかけている。

労働力不足、経済悪化……。加えてウクライナ侵攻に対するロシア制裁の大失敗。ロシア側からの〝逆制裁〟を食らい、英国は致命的な燃料不足に陥っている。

一時期、ガソリン価格が二五倍にも暴騰したと伝えられる。

◉ロシア逆制裁で燃料危機に

EU諸国、G7（先進七カ国）を襲った最大危機が、この燃料不足だ。

ロシア、プーチンは一枚も二枚も上手だった。G7側の「ドル石油体制から締め出す」という通告に「ルーブルか金でなければ売らない」と反撃した。

「買ってやらない」と言ったら「売ってやらない」と言い返された。

まさにギャフンである。それから欧州とアメリカの混乱が始まった。

石油、天然ガスは国家にとって生命線だ。その供給先にケンカを売った。まさに子どものレベルだ。以来、ドイツもイタリアもスペインもEU主要国は、エネルギー不足にあえいでいる。

他方でドイツはシュミット首相、ドイツ銀行総裁が独自に中国、習近平主席を訪問。つまり宿敵BRICSに秋波を送っているのだ。

これは言いかえれば、ドイツのG7脱退表明とも受け取れる。

これに対してバイデン政権の〝警告〟が、石油パイプライン〝ノルド・ストリーム〟爆破と見られている。フランスのマクロン大統領も二〇二三年四月、三日間も中国を訪問、習近平主席と緊密に会談。これも、やはりBRICSへのアプローチだ。

そのフランスでは六月に全国的な大暴動が多発、焼き打ち、略奪で無政府状態となっている。それだけ国民の政権への怒り、不満は鬱積《うっせき》しているのだ。

◉〝沈む泥船〟から逃げ出せ！

そしてG7の本家アメリカですら、中国詣でを行っている。

六月、ブリンケン国務長官は北京を訪問。目的はズバリ経済的支援。わかりやすく言えば「金ねだり」だ。しかし習近平主席との会談は拒否されてしまった。

このようにディープステートの拠点だった欧米は、足並みが乱れまくっている。かつては、〝イルミナティ〟〝フリーメイソン〟〝DS〟による指示命令は絶対だった。しかし、これら欧米諸国にとって、それどころではない。エネルギー危機、超インフレ、経済低迷、政治混乱、治安悪化……。かさねて〝闇の勢力〟に命じられるまま、mRNAワクチンを国民に半ば強制的に打ちまくったため、国民の大量死が発生している。

他方、旧来ワクチンしか打たなかった中国、インド、ロシア、インドネシア、メキシコなどBRICS諸国は「変化なし」。明らかにG7、EU諸国の人々は殺戮《さつりく》ワクチンにだまされ、犠牲となったのだ。この背筋の凍る現実が白日の下にさらされるのも時間の問題だ。

DSにとって、それまでの拠点、欧米は完全に崩壊状態にある。沈む泥船からは、ネズミはいち早く逃げ出す。DSも例外ではない。いったい、どこに逃げるのか？　……極東の島国ジャパンである。

NATO（北大西洋条約機構）が、なんと日本へ!?

◎旧ソ連対抗の軍事同盟

NATOが日本に連絡事務所設置のため政府と協議を進めている。

誰もが首をかしげる。

「……なぜNATOが遠い日本に事務所を開設？」

『朝日新聞デジタル』（2023年5月30日）も首をひねっている。

NATOの正式名称は「北大西洋条約機構」。わかりやすくいえば「北大西洋軍事同盟」だ。設立されたのは東西冷戦の真っ最中の一九四九年。目的はソ連をはじめとする共産圏の軍事力に対抗するためだ。それに対するのが「ワルシャワ条約機構」だ。つまりはソ連の共産勢力に対抗するため、西側が軍事同盟を結んだのだ。

しかし旧ソ連は一九九一年、とっくに崩壊している。その軍事的脅威も崩壊した。だからNATOの存在意義も、そのとき消滅している。なのにNATOだけが存在し続けている。これも奇妙な話だ。敵がいないのに、なんで片方の軍事同盟だけが存続しているのか？

そもそもNATOは当初、加盟国は米国など一二カ国。そして現在の加盟国は欧米三一カ国。総兵力三三〇〇万人。世界最大の軍事同盟だ。

仮想敵はソ連が率いる共産主義国家。だから東側の共産圏崩壊で役割を終えている。

現在も存続していること自体がミステリーなのだ。

◉〝掟〟は「集団的自衛権」

NATOの〝掟《おきて》〟は、「集団的自衛権」である。

つまり一つの国が攻撃されたら、全加盟国が反撃する。正確には「集団的〝攻撃〟権」だ。

この〝掟〟には例外は許されない。安倍内閣は、この集団的自衛権を〝合憲化〟しようと画策した。これはヤクザの〝掟〟と同じだ。

〝親分〟が「出てこい」と言ったら、おっとり刀で駆け付けるしかない。

では、NATOはどこまでを「防衛地域」と想定しているのか？

基本となる北大西洋条約（第六条）では、集団防衛の対象とする「地理的範囲」を「北米と加盟国領土」と限定している。ただし米国領土のハワイ、グアムは含まれない。

――ソ連崩壊で、NATOは役割を終えたのではないか？

この疑問に慶応大学、鶴岡路人准教授は回答する。

「……九〇年代の旧ユーゴスラビア紛争や二〇〇一年、米同時多発テロ後のアフガニスタンでの作戦の実施など、グローバルな安全保障の問題にかかわるように大きく変貌していきました」（同氏ツイッター〈X〉）

◉ＮＡＴＯ加盟国はＤＳの〝私兵〟

これらは、すべてアメリカの御都合主義。言いかえるとアメリカを支配する〝闇勢力〟の御都合主義なのだ。つまりＮＡＴＯ加盟国は、ＤＳの〝私兵〟として扱われている。

別名〝戦争の犬〟……〝傭兵《ようへい》〟だ。しかも軍備も戦費も自前持ちだ。

二〇二二年ロシアによりウクライナ侵攻。しかしウクライナはＮＡＴＯ加盟国ではない。これをバイデン政権がウクライナに軍事介入しない言い訳にしている。

「ＮＡＴＯの防衛義務はウクライナに及ばない」

他方でロシアの脅威にさらされているバルト三国やポーランドなど欧州のＮＡＴＯ加盟国には、米軍は二万人以上を派兵している。

二〇二三年一月、ＮＡＴＯ事務局長が来日し、岸田首相らと会談した。

「日本とＮＡＴＯの関係強化」を訴えている。

先立つ前年六月、スペインで行われたＮＡＴＯ首脳会談には、岸田首相が加盟国でもないのに出席している。これは、まさに日本がＤＳに取り込まれる前段だ。

採択された「戦略文書」は「太平洋地域の状況は北大西洋の安全に直接影響を及ぼす」。なんのことはない。軍事展開を「大西洋から太平洋まで拡大する」と宣言している。

だから岸田首相を呼び付けたのだ。

続いて一月、来日したストルテンベルグ事務局長の目的は――。

「……ウクライナ侵攻を続けるロシアと軍事増強する中国に対抗し、太平洋地域の民主主義の国々と協力関係を構築する」

じつに、わかりやすい。つまりは「BRICSに対抗する軍事同盟の拠点」として日本を指名したのだ。だからNATO事務所を東京に設置するのは、あたりまえだ。

NATO事務所設置に同意することはロシア、中国つまりBRICSへの敵対宣言と同じだ。

続いて日本がNATOへの加盟を強要されることは、火を見るより明らかだ。

ただしDS側にも足並みの乱れも見られる。

NATO日本事務所設置に、フランスのマクロン大統領が反対を表明したのだ。

その理由は「日本は北大西洋にはない」。至極、まっとうな正論だ。

「……岸田首相は昨年に続いてNATO首脳会議に出席し、連携強化に躍起だが、水を差された格好だ。『同志国』であるはずの国から突き付けられた『ノン』。どんな事情があるのか」

(『東京新聞』二〇二三年七月二三日)

フランスは、かつてド・ゴール大統領がNATOに決別をつきつけたこともある。

「……『NATOは、イコール米国』とも言いかえられるが、フランス人はかねて米国の『同盟国』であっても、『追従国』ではないとの姿勢を貫いている」(同)

◎〝闇〟か〝光〟どちらに付く？

ＮＡＴＯは日本、韓国、オーストラリア、ニュージランドの四カ国を「アジア太平洋パートナー」と位置付け連携強化を目指している。日本へのＮＡＴＯ事務所設置は「四カ国とＮＡＴＯをつなぐ中間地点」として。当然、これらは対中国軍事同盟の拠点となる。

中国が日本事務所の開設構想に、警戒感をあらわにするのも当然だ。

「事務所を開設したからといって、日本がＮＡＴＯに加盟するわけではない」と呑気《のんき》に構えている向きもある。しかし「開設」の次は「加盟」の強要がＤＳ側のシナリオだ。

それにしても日本側の対応はおざなりだ。

「……われわれが事務所をつくるなら別だが、ＮＡＴＯの話。日本に意思決定権はない。聞きたいことがあるなら、（ＮＡＴＯ本部のある）ベルギーに連絡して」

ＮＡＴＯ事務所設置は、日本にとっても〝踏み絵〟となる。

〝闇〟の陣営、ＤＳ側に付くのか？　〝光〟のＢＲＩＣＳ側に付くのか？

まさに国の運命を決めかねない。

ＤＳ側の深謀遠慮を読み解いてみよう。欧米の衰退、混迷が続いたら、緊急避難としてＮＡＴＯ東京事務所を「本部」に格上げすることも考えているのではないか。

すると日本が〝悪魔〟の最後の〝砦〟となる。

なんでCDC（米疾病予防センター）まで来るの？

◎「日本に出先機関」（バイデン）

「……米CDC、日本に出先機関、バイデン大統領が表明」（『日経新聞』二〇二二年五月二三日）

このニュースには、あぜんとする。

NATO事務局に続いて、米国のCDC（疾病予防センター）までやって来る！

CDCは米国政府機関だ。政府の一行政部門が、なんで日本にやって来るのか？

理解に苦しむ。報道は以下のとおり。

「……バイデン大統領は、二三日、日本に米疾病予防センター（CDC）の出先機関を設立する方針を表明した」（同）

「……CDCは米国の感染症対策の司令塔となる組織で、新型コロナウイルス感染症や、今後のパンデミック（世界的感染の流行）への対応時に、日米の連携を深める狙いがある」（『読売新聞』二〇二二年五月二四日）

ナルホド、そういうことか……。

CDCも日本に事務所を設置……？

「日米の連携」とは、露骨に言ってしまえば「日本の服従」である。

◉日本人大量虐殺の司令塔

コロナの茶番と暴虐について私は六冊の本にまとめた。

これは一言でいえば、〝人口削減〟のジェノサイド（大量殺戮）である。

〝やつら〟の宿願、地球人口五億人に比べれば、いくら殺しても殺し尽くすのは容易ではない。

今頃、人々は新型コロナウイルスやワクチンは〝生物兵器〟だったと気づいて騒然となっている。もはや後の祭りである。

バイデン政権は、日本のCDC出先機関を感染症対策の司令塔にするという。

それは、コロナとワクチンによる日本人虐殺の〝司令塔〟なのだ。

かつてのGHQ（連合国軍総司令部）が戻ってくるようなものだ。

WHOの企むパンデミック条約の危険な罠

◉パンデミック条約で弾圧

〝やつら〟が視野に入れているのが、パンデミック条約だ。

二〇二一年五月、WHO（世界保健機関）総会で提案された。

目的は「地球規模の保健脅威に備えた指導力の強化」。

「指導力の強化」とは、まさにCDCのような強制機関を指す。つまり「支配力の強化」なのだ。

だからDSは日本にも〝日本版CDC〟をつくらせる腹づもりなのだ。

条約自体は二〇二四年五月、制定の予定。WHOテドロス事務局長は「加盟国の課題は一二カ月後、強力な条約に合意できるよう交渉を進める」と二〇二三年五月ジュネーブでのWHO総会で述べている。

真の恐怖は、偽のパンデミックを脅しに、さまざまな私権制限がパンデミック条約に盛り込まれることだ。最悪、「ワクチン接種しないと、逮捕勾留《こうりゅう》される」。さらには「旅行、買物、就学、就職などの制限」。これらはコロナ茶番騒動でじっさいに起こっている。

これらパンデミック条約の強行措置の実施を推進するのがCDCの役割なのだ。

わかりやすくいえば、悪魔の執行機関……。

◉〝刑事〟と〝犯人〟が同一

これに対して上昌広氏（医療ガバナンス研究所理事長、医師）はCDC不要を説く。

「……暴走しかねない。日本版ＣＤＣ設立には、冷静な議論が必要です」

これには賛成だ。わたしはコロナ関連著作を通じて、その悪魔的陰謀をあばいてきた。

それは人類大量殺戮そのものであり、その指令本部がＣＤＣだったのだ。

コロナ対策をうたう機関が、実は〝闇〟の推進本部なのだ。

〝刑事〟と〝犯人〟が同一人物なのだ。

まさに茶番ではないか。

そもそも近年、全世界で爆発的に流行したとされる感染症の正体は、人工ウイルス（つまり生物兵器）をばらまいたもの。

そうして危機をあおって次の、これも生物兵器のワクチンを国民に強制する。

体のいいマッチポンプだ。これでＤＳは〝人口削減〟と〝巨利収奪〟を同時に行える。〝人殺し〟と〝金儲け〟だ。

◉蠢く731部隊の生き残り

戦前からある国立伝染病研究所（伝研）が、日本ではＣＤＣに相当するだろう。

伝研は陸軍との関係を深めていた。陸軍７３１部隊がひそかに進めたのが、大量の捕虜などを〝マルタ〟と称して行った痛ましい生体実験だ。

そして数千人を生きたまま虐殺した731部隊の〝かれら〟は誰一人、戦犯にも問われていない。

そして平然と厚生労働省や大学医学部、研究機関、製薬会社に潜り込み出世を遂げている。人体実験という〝悪魔の飽食〟をくり返した人非人が、なにくわぬ顔で高級官僚になり、大学教授になり、製薬会社の社長にふんぞりかえったのだ。

このような背景を知る上昌広氏は「日本版CDCは不要」と断言する。

「……戦後、分離された感染研の幹部には、陸軍防疫部隊（731部隊）の関係者がいる」「CDCは軍隊との関係が深い。米CDCは、第二次大戦後に、国防省のマラリア対策部門の後継機関として立ち上がった」「CDCとは、政府と独立して機能する専門家集団だ。情報開示の圧力を避け、独走することが可能になる。はたして、そんなものが日本に必要なのだろうか？　冷静に議論すべきである」（『大阪府保険医療協会』二〇二〇年三月一五日）

日本は第二のウクライナ、パレスチナになるゾ

◉日本CDCは生物兵器研究所に？

ちなみにWHO（世界保健機関）は、加盟国一九四カ国・地域と二準加盟国で構成される（二

〇二三年四月）。運営方針などは、毎年一回五月に本部ジュネーブで開催される総会で決定される。六つの地域事務局に分かれ、世界各地の一五〇カ所にWHO事務所が存在する。

日本国内にWHO事務所は存在しない。しかし神戸市にWHO健康開発総合研究センターがあり、WHO本部直轄の研究機関として活動している。

バイデン大統領は、日本にCDC出先機関を設置すると通告してきた。

これはウクライナに四〇カ所以上、設置した生物兵器研究所と同じように〝昇格〟させられる恐れがある。

WHO研究センターも地域事務所に格上げされ、生物兵器開発に回されかねない。

「マサカ……」と笑う前に、ウクライナがどのようにしてDSに乗っとられ、蹂躙《じゅうりん》されたか、その悲劇を学ぶべきだ。

日本は第二のウクライナとして狙われている。その現実を直視しなければならない。

こういったら、誰もが笑うだろう。まさに〝お花畑〟の住民は平和でのどかだ。

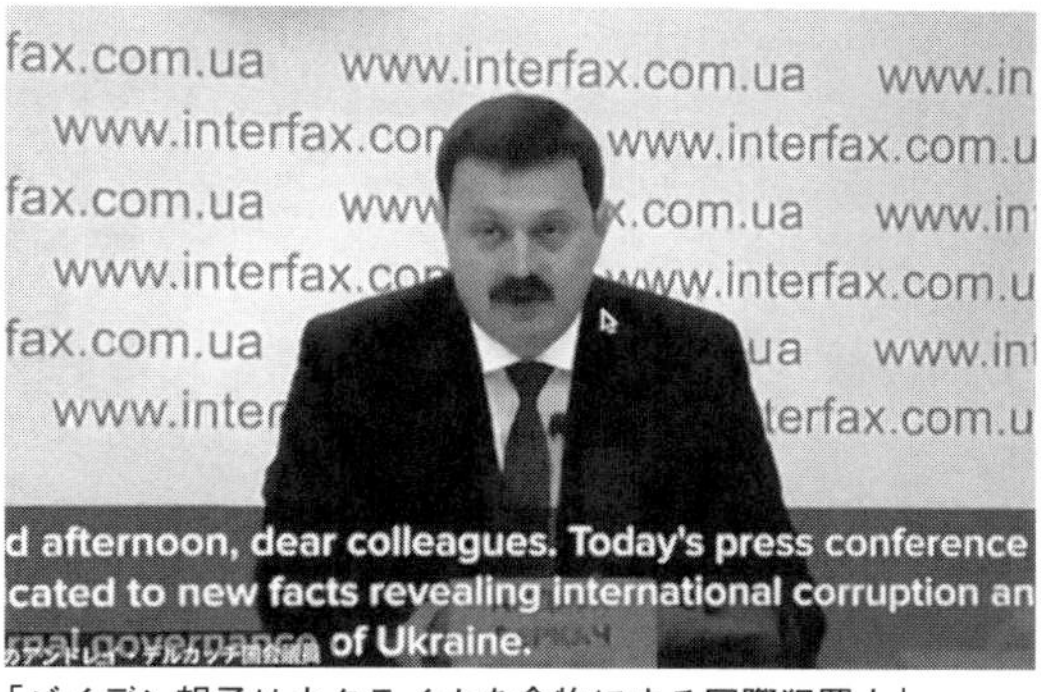

「バイデン親子はウクライナを食物にする国際犯罪人」
会見するデルカッチ議員

あなたは信じられるか？

二〇二〇年一二月二五日、ウクライナ政府は公式会見でジョー・バイデンとハンター父子の不正証拠資料を公開した。

さらに国会議員がバイデン親子を刑事告発する記者会見まで開催している。

一時間以上にわたる動画は、ニュースサイト「ＢｏｎａＦｉｄｒ」でも中継配信された。

国会議員は労働ウクライナ党議長Ａ・デルカッチ氏。

彼は怒りを抑え、声を震わせながら訴える。

「……ウクライナ人に高い石油・ガスを売り付け、ピンハネして着服した大金が海外に送金された。その入金先の一つがバイデン親子だ」

バイデンの息子ハンターは、オバマ政権時代に副大統領だった父親の地位と圧力を背景にウクライナ石油公社の重職に就任するや、汚職し放題で私腹を肥やした。

証拠写真は、汚職金の入金先。「ビッグガイ」とはバイデン副大統領本人。つまり横領金の一〇％はバイデンに振り込まれた。これがバイデン親子の〝ウクライナ・ゲート〟だ。

しかもウクライナ裁判所はジョー・バイデンを正式捜査対象にしているのだ。

デルカッチ氏の告発。

「……みなさん、本日の会見は国際的な汚職とウクライナへの外部支配を明白に示す新事実をお知らせするためです」「次期〝大統領〟ジョー・バイデンの取り巻きグループメンバーたちが国際的犯罪スキームとつながっています。〝かれら〟はウクライナ国民から何百万ドルも盗み、バイデン一家に金銭的利益をもたらしたのです」

さらには衝撃告発は続く――。

「『この会見を開くな』と、アメリカ民主党サイドから脅迫と妨害を受けました」

この告発ニュースを「OANニュース」が配信している。

「腐った犯罪者ジョー・バイデンは刑務所に行け！」

しかし悲痛な会見での訴えも握りつぶされた。

デルカッチ議員の生死も不明だ。

おそらく暗殺されただろう。なぜなら米国財務省筋の政治家から名指しで「制裁する」と恐喝されていたからだ。

こうして、この国はDSに盗まれた。……次は日本だ。

◉第三次大戦を望むDSの狙いとは？

エジプトのカメル情報大臣は、ハマス攻撃計画を、ネタ

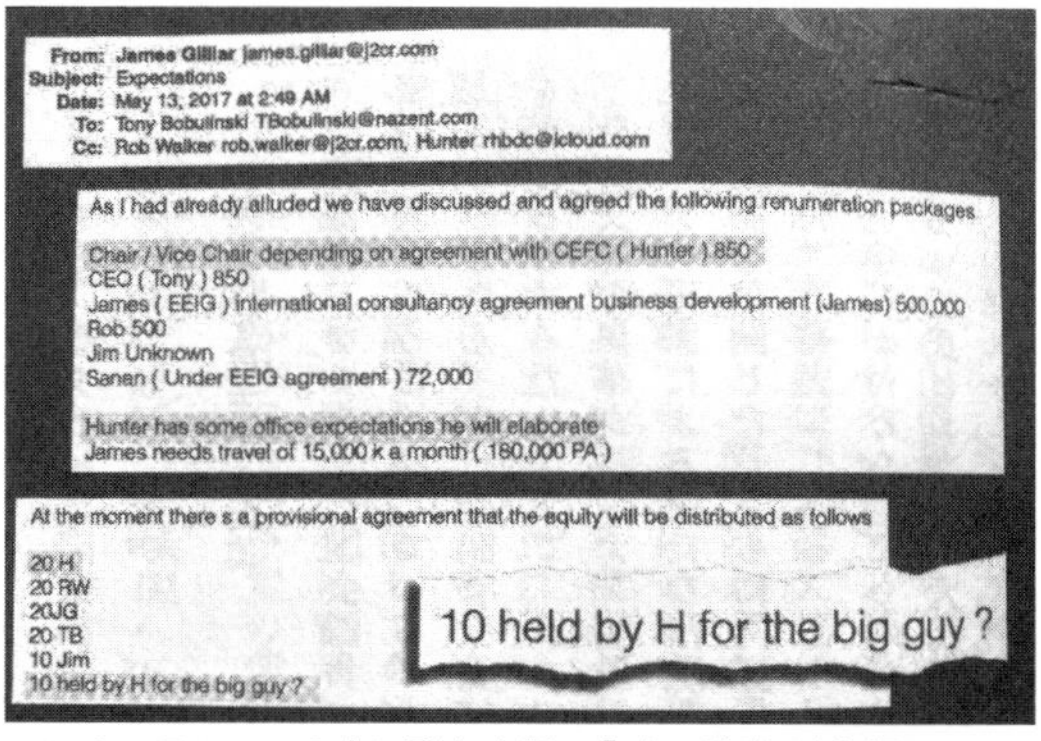
From: James Gilliar james.gilliar@j2cr.com
Subject: Expectations
Date: May 13, 2017 at 2:49 AM
To: Tony Bobulinski TBobulinski@nazent.com
Cc: Rob Walker rob.walker@j2cr.com, Hunter rhbdc@icloud.com

As I had already alluded we have discussed and agreed the following renumeration packages

Chair / Vice Chair depending on agreement with CEFC (Hunter) 850
CEO (Tony) 850
James (EEIG) International consultancy agreement business development (James) 500,000
Rob 500
Jim Unknown
Sanan (Under EEIG agreement) 72,000

Hunter has some office expectations he will elaborate
James needs travel of 15,000 k a month (180,000 PA)

At the moment there s a provisional agreement that the equity will be distributed as follows

20 H
20 RW
20JG
20 TB
10 Jim
10 held by H for the big guy ?

ハンターEメールの中に現れた謎の「ビッグガイ」を報じるFOXニュース

ニヤフ本人に再三電話で警告（AP通信）。CIAも一〇月五日、同様の警告を行っている。イスラエル国民八六%が「ガザとイスラエルで起きている悲劇は政府の責任。ネタニヤフは退陣すべき」と回答している。

この戦争でマスメディアで流される関連映像は世論操作のためにCGや役者を駆使してつくったフェイクがほとんど、という。

「……プロパガンダを大量に流す目的は、イスラムの国々とイスラエルの対立を煽り、第三次世界大戦を勃発させること」（ベンジャミン・フルフォード氏）

その狙いは「欧米勢は、第三次世界大戦を起こせば、アメリカの倒産問題も西側欧米の孤立もウヤムヤになり、すべてがなかったことになるとかんちがいしている」（月刊『ザ・フナイ』No.196）。

――第三次大戦――これこそ〝やつら〟の宿願だ。

それも最終的には、全面核戦争となる。

「腐敗した犯罪者ジョー・バイデンは刑務所に行け！」
ウクライナテレビ局の告発映像

耳を疑う人がほとんどだろう。

「それでは〝かれら〟だって死んでしまうのではないか？」

それは甘い考えだ。〝やつら〟は全面核戦争で念願の人口五億人以下という〝人口削減〟（ジェノサイド）を貫徹《かんてつ》できる。

そして〝やつら〟は生き延びる。〝イルミナティ〟は、世界約五〇〇カ所に、「地下都市」を建設しているという。

だから、地表が〝核の冬〟で滅びても、〝やつら〟は、ぬくぬくと地底都市で生きていく計画なのだ。

マサカ……！　荒唐無稽と思う前に、心を静めてほしい。

どれだけ、マサカがくり返されてきたか……。

人類最悪の悲劇を念頭において、我々は行動を起こさなければならない。

エピローグ　「殺されるか？」「めざめるか？」

――すべては、あなたにかかっている

安倍暗殺チームは県警、メディア、自民だ

◎これが元首相謀殺の真相だ

「……現在は、三次世界大戦中ですよ……」

発言の主は、だれあろう。凶弾に倒れた安倍晋三元首相である。

彼の心臓を貫いたのはガリウム弾――。一九℃以下で溶ける特殊弾丸。用いられたのは恐らく二二口径、二連装ライフル。スナイパーは暗殺現場向かいの三和シティビル屋上に潜んでいた。山上容疑者の一発目は空砲。そして元首相の背後に迫っての第二弾は、背広襟《えり》の議員バッジをはね飛ばした。

手製ガスケット銃から放った六個の弾丸はことごとくターゲットを外した。

これで暗殺チームの目論見も外れた。直径一センチ鉄球がターゲットの背中を貫けば、それは内臓を粉砕し射出孔は一〇センチ近くになったはずだ。

向かいビル屋上に潜んでいた狙撃手の役割は、〝とどめ〟を刺すため。ケネディ暗殺しかり。要人暗殺の要諦だ。失敗は許されない。背後から忍び寄った山上の一発が致命傷になるはず……だった。しかし、弾丸を外したことで暗殺チームに齟齬《そご》が生じた。

山上は腰だめで手製銃を発射している。

しかし、奈良県立医大の病理報告は、右鎖骨間に五センチ間隔の二つの孔。

その射入孔と射抜かれた心臓の心房孔を結ぶと、入射角は三和シティビル屋上を指し示す。

◉心臓に孔はあった？　なかった？

はやくいえば山上は「下から撃った」。しかし、弾丸は「上から入った」。

「……だけど」と記者会見の福島教授は続ける。「弾丸は、元総理の体内から見つかりませんでした」。それもそのはず。体温で溶ける特殊弾が使用されたからだ。

しかし、二〇名を超える医師団、看護師などが鎖骨間からの入射孔を確認し、開胸して、心室壁の傷孔を確認している。心臓外科医たちは、その孔を縫合したという。むろん、元首相はこの時点で心肺停止。空しい蘇生術である。それは医師団にもわかっていた。

重要なのは、〝救命〟に総力をあげた医師たちが、心臓に開いた孔を目視していることだ。

しかし、奈良県警が行った「司法解剖」報告は、まったく異なっていた。

「心臓は無傷だった」。医師団は「心臓に孔があった」

いったい、どちらが正しいのか？　これが戦後最大の暗殺事件の〝キモ〟である。

安倍・プーチン和解阻止にＤＳが動いた

◉ＴＶ新聞、警察、自民の正体

しかし、司法解剖が発表されるや、マスコミは異常不可解な反応を示した。

元首相、心臓の傷の有無。これこそが、暗殺真相を解明するキーポイントだ。

しかし、この「傷の有無」を追及したメディアは皆無だ。テレビ、新聞は一斉に引いた。

いや逃げた。マスコミ論調は、突然、統一教会マター一色となった。

テレビも新聞も「心臓傷孔の有無」について触れない。異様な緘黙《かんもく》、黙殺だ。

わたしは、即座に理解した。「マスコミも暗殺チームの一員だ」

そして「偽の司法解剖」報告を行った奈良県警もまたチーム。さらに、九〇人以上の安倍派議員たちも完黙し、真相究明を叫ばない。〝親分〟を殺られたのに……。自民党もしかり。

つまりは、自民党も暗殺チームの一員なのだ。

ここまで書けば、だれもが面食らうだろう。

◉日ロ関係改善の元首相・特命大使

なぜ安倍元首相は、謀殺されたのか？

彼は、生前にプーチン大統領と二五回以上も会っている。それだけ親交は深い。

ここに暗殺の背景が存在する。ロシアのウクライナ侵攻は〝闇勢力〟によって仕組まれたものだ。わかりやすくいえば、ディープステート（ＤＳ）によるプーチン潰しだ。

ＤＳの〝ポチ〟である岸田首相は、ロシア制裁決議に真っ先に手を挙げた。

そしてＤＳ思惑の「ロシア包囲網」はもろくも破れた。それは本書で述べたとおり。

逆に一大反欧米勢力ＢＲＩＣＳの台頭を加速させた。そして欧米の〝闇勢力〟側は、ロシアからの〝逆包囲網〟に見舞われた。石油・天然ガスの禁輸だ。日本も例外ではない。

ロシア制裁に異を唱えた中国、インドなどＢＲＩＣＳ諸国は、ロシアからの潤沢なエネルギー供給を享受している。日本とロシア間には善隣友好条約が結ばれている。

政府内に日ロ関係修復を望む声が上がるのも当然だ。

その秘策は、安倍元首相の特命大使だ。ロシアに派遣しプーチンと関係改善を図る。

サムライ精神のプーチンは、恐らく「ダーッ！」（ＯＫ）と応じるだろう。

◉警察、TV新聞、政府もDSだ

この水面下の動きをディープステートは、見逃さなかった。

安倍元首相が、特命大使としてロシアに派遣され、プーチンと会談する。

それは、日本がDS陣営から離れ、BRICS陣営に移ることを意味する。

岸田は、なんでも言うことを聞く可愛い〝ポチ〟だ。しかし安倍はもはやそうではない。

元首相のロシア訪問だけは、なんとしても阻止しなければならない。

そこで〝イルミナティ〟トップから、「安倍を始末しろ」という特命が下された。

これが戦後最悪、暗殺事件の真相だろう。

動いたのはCIA（米中央情報局）。そして暗殺チームが結成された。

それは、奈良県警、メディア、一部の自民党である。耳を疑っている場合ではない。

安倍暗殺の「真相究明」を叫ぶTV新聞は皆無だ。警察も完黙。自民安倍派すら口を閉ざす。

当たり前だ。〝かれら〟は、みんな同じチームなのだ。

警察、TV新聞、政府も、みんなDSに乗っ取られているからだ。

あなたは、暗澹《あんたん》とするだろう。これが日本の現実なのだ。

だから、政府は七回、八回と猛毒ワクチンを国民に強制注射しているのだ。

じつにわかりやすい日本人〝皆殺し作戦〟だ。

それをメディアも政府も学界も、狂気のように煽り、脅し、推進している。

〝やつら〟は、もはや日本人の皮を被った〝悪魔〟そのものである。

（※安倍暗殺真相は月刊『ザ・フナイ』二〇二二年十一月号参照）

マウイ島の大虐殺、レーザー兵器で焼き尽くす

◉追い込まれた〝悪魔〟の残虐

手負いの獣ならぬ〝悪魔〟は、恐ろしい。

有色人種を支配して、詐欺、殺戮、略奪の限りを尽くしてきた「白い悪魔」たち。

十字軍以来一〇〇〇年、大航海時代から五〇〇年……。

その暴虐の栄華も終焉を迎えようとしている。

それが、有色人種たちの台頭と決起……ＢＲＩＣＳ諸国の反撃だ。

それに対して、〝やつら〟の拠点、欧米諸国は疲弊し、没落している。

しかし、追い詰められた〝悪魔〟ほど、恐ろしい。なりふりかまわない。

安倍元首相の謀殺なども典型だ。さらに二の矢、三の矢……を〝やつら〟は放ってくる。

その暴虐は、さらに残酷さを増してくる。

マウイ島の大虐殺――。これこそ、まさに悪魔の所業だ。

二〇二三年八月八日。それは、突然の惨禍だった。マウイ島西岸ラハイナ市街を、〝悪魔〟が襲った。これを世界メディアは〝マウイ島の山火事〟と報道した。

◉〝スマート・シティ〟建設地上げ

もう、ここでＤＳ側メディアは、嘘を垂れ流す。

ラハイナ市街周辺には山もなければ森もない。

結論を言おう。

これは、周到に計画された住民ジェノサイド（大殺戮）だ。

目的は、〝スマート・シティ〟建設だ。

つまり、〝地上げ〟作戦。住民を立ち退かせる代わりに住居もろとも焼き尽くした。その証拠は数えきれない。

目的は、大量殺戮だ。事前に気づかれてはまずい。

だから四〇〇カ所も設置された防災サイレンは沈黙。ＴＶラジオ警報もゼロ。Ｗｉ・Ｆｉも切断。加えて消火栓も閉じられていた。

ラハイナ市周辺には山もなければ、森林もない

そして五〇〇マイル沖にはハリケーン。時速一〇〇キロ超の〝送風機〟として置かれた（気象兵器で可能）。住居焼き打ちに用いられたのがレーザー兵器だ。それは、強力ブルー・ビーム照射で対象物を焼き尽くす。

出動したのは、おそらくドローン戦闘機だ。

超高空からピンポイントで眼下ラハイナ市街を狙った。

◉青色レーザー光線で焼き尽くす

〝攻撃〟には青色レーザー兵器が用いられた。物証もある。焼け跡を一目見れば歴然だ。

不思議なことに、あれほどの大火にもかかわらず、青色の物だけが焼け残っている。

青いクルマ、青いパラソル（日除け）、青いシャツ……。

レーザー兵器はビーム光線の高熱で対象物を焼き尽くす。しかし、レーザーと同色の物は燃えない。だから、焼け跡で〝青い色〟の物だけが焼け残っている。

さらに、空からのピンポイント攻撃を証明する。

同じラハイナ市街でも、セレブ豪邸だけは、まったく燃えていない。

現地には、オバマ元大統領、レディ・ガガ……などの豪邸が立ち並んでいる。しかし、これらは一切、燃えていない。まさに、「燃やす」「燃やさない」区画が線引きされている。

通常の〝山火事〟ではない。市街地周辺に山はない。森もない。さらにレジャー・ボートなど全焼。海上船舶がすべて燃えている。通常の火事ではありえない。

これも上空からレーザー攻撃の証拠だ。

マウイ火災が大量殺戮である物証、証拠は多い。避難する住民は湾岸道路で渋滞した車中で焼き殺された。道路両端をパトカーが横づけして妨害したからだ。まさに警察は殺意満々だ。猛火に絶えきれず、一〇〇人以上の住民が海に飛び込んだ。しかし、近くの海軍基地からは救命ボート一隻来なかった。一二時間も海面を漂って助かった男性が、その理不尽を訴える。

一〇〇〇人以上の子どもたちが行方不明に

◉人身売買業者に売られた？

……悪夢は続く。大火災は、悲劇の序章に過ぎなかった。

火事の混乱パニックが収まった後、父親、母親たちは異常な事態に困惑した。

「子どもたちがいない！」。現地政府の教育省も「二〇〇〇人以上の子どもたちと連絡がとれない」と公表。大量の子どもたちが……消えた……。

マウイを第二の厄災が襲いかかった。狂乱した親たちは、焼け跡をわが子の名を呼んで探しまくった。住民は、ラハイナ郡長に詰め寄る。

「子どもたちは、どこに行ったんだ」。郡長は苦渋の顔を歪めるだけで、何一つ答えられない。

最終的に行方がわからない子どもたちは、少なくとも一〇〇〇人以上いることがわかった。

そして奇妙な事実が判明した。

衛星写真によれば、火災前に駐車場に二一台あったスクールバスのうち一四台が、火災後、消えている。搭乗可能な人数は約一〇〇〇人。〝消えた〟子どもたちの人数と一致する。

「……子どもたちは、バスでどこかに連れ去られた！」

おそらく火災に乗じて、子どもたちは拉致誘拐され人身売買業者に〝売られた〟はずだ。

本書でも述べたようにバイデン政権により、不法入国の子どもたち八万五〇〇〇人が行方不明となっている。バイデンは〝悪魔〟とも取引する男だ。

これで、マウイ大虐殺の目的が判然とした。〝地上げ〟と〝誘拐〟だ。

◎未来監獄〝スマート・シティ〟

マウイ火災と同時期に、世界四カ所で、やはり〝山火事〟が発生している。

カナダ、ギリシャ、イタリア、スペイン……。いずれも共通するのが〝スマート・シティ〟

建設予定地なのだ。つまりは、放火による住民追い出しだ。恐ろしく荒っぽい〝地上げ〟だ。世界のＤＳ側政府は、〝スマート・シティ〟構想を打ち出している。

それは、別名〝15ミニッツ・シティ〟と呼ばれる。うたい文句は「徒歩一五分で、すべてがまかなえる街」。〝スマート〟とは〝賢い〟という意味かと思ったら、そうではない。Ｓ（サステナブル：永続）、Ｍ（モニタリング：監視）、Ａ（アセンシング：登録）、Ｒ（レイティング：評価）、Ｔ（トラッキング：追跡）――。これら略称なのだ。

つまり、〝スマート・シティ〟の正体は「永久に①監視、②登録、③評価、④追跡する」街だ。恐ろしい。これは〝見えない監獄〟だ。徒歩一五分圏内で、すべてが完結……ということは「それ以上、出歩くな」ということ。つまり、そこには〝見えない〟塀がある。

住民は、恐らく例外なく〝ナノチップ〟を体内に埋め込まれるだろう。

まさに、悪魔的グローバリストが構想する新世界秩序（ＮＷＯ）の未来監獄なのだ。

未来監獄スマート・シティ
①永久に②監視③登録④評価⑤追跡する

めざめた人、気づいた人が生き残る

◉悪魔勢力が〝ハイジャック〟

〝やつら〟は不都合な人間は、元首相ですら抹殺する。

その実行チームが警察、ＴＶ新聞、政府……であることが、空恐ろしい。

安倍元首相の暗殺の真相に驚愕《きょうがく》されたはずだ。

しかし、驚くほどのことではない。

この国の政府もメディアも学界も、とっくの昔に悪魔勢力に〝ハイジャック〟されている。

それは、コロナ偽パンデミック、猛毒ｍＲＮＡワクチン……でも、わかるはずだ。

コロナ・ワクチンだけではない。そもそもワクチンの開祖ジェンナーからして悪魔の手先だった。ワクチンが感染症を〝予防〟したという証拠は、この世に存在しない。

天然痘の種痘を世界に広めたのは、マイヤー・アムシェル・ロスチャイルドである。公衆衛生をうたい文句にすれば、〝健康人〟にも薬物を強制投与できる。これほど、笑いの止まらない利権はない。

そして、〝やつら〟は約二〇〇年前から医学教育（狂育）すら支配してきた。

以来、狂育は〝洗脳〟装置と化して、今日にいたる。

◉〝常識〟すら〝洗脳〟の産物

わたしは『世界をだました5人の学者』（ヒカルランド）で、〝悪魔〟の使徒たちを断罪した。

マルクス（経済学）、フロイト（精神医学）、アインシュタイン（物理学）、ウイルヒョウ（医学）、フォイト（栄養学）……。

〝かれら〟は、近代から現代にかけて〝知の巨人〟と称えられてきた。

しかし、その正体は、〝悪魔〟に魂を売った〝痴の虚人〟にすぎなかった。

しかし、現代の〝知識人〟を自称する人たちは、本の表紙を見ただけで凍りつくだろう。

また『〝洗脳〟のメカニズム』（ヒカルランド）で書いたとおり、この世は、まさに〝洗脳〟装置に満ち満ちている。

教育（狂育）しかり。報道（呆道）しかり。

……われわれが、〝あたりまえ〟と思っている常識すら、狡猾な〝洗脳〟の産物なのだ。

◉〝お花畑〟から一歩を踏み出す

――日本列島が「白い悪魔」に狙われている。

本書は、この衝撃事実に警鐘を鳴らしている。
北米インディアン、南米インディオ、豪州アボリジニ、アフリカ黒人……。
彼らの苦難と悲嘆を、日本人にくりかえしてほしくない。
その思いで書き進めた。
九割のひとたちは……マサカね……と、肩をすくめて笑うかもしれない。
しかし、人類の歴史をふりかえってほしい。
まさに歴史は……マサカ……の積み重ねなのだ。
〝闇勢力〟は地球人口を五億人以下にしようとしている。……マサカね……。
笑っているうちに猛毒殺人ワクチンを日本人は、七回も八回も打たれてしまった。
わたしは、本書で現代の日本人は……〝お花畑〟の住民……と指摘した。
〝お花畑〟は、きれいで楽しい。いやなことは一つもない。
しかし、そこは見かけのような〝楽園〟ではない。
ワクチンを打ったひとは、そこが〝地獄〟であったことに気づくだろう。
いま日本人に必要なのは、〝お花畑〟から一歩、外に踏み出すことだ。
その勇気と決断だ……。
「聞きたくない」ことに耳をそばだて、「見たくない」ことに目を向ける。

生き残る……ということは、そういうことだ。

——めざめたひと、気づいたひとのみが未来に生きる——

[著者略歴]
船瀬 俊介（ふなせ・しゅんすけ）
地球文明批評家。1950年、福岡県生まれ。九州大学理学部を経て、早稲田大学文学部社会学科卒業。日本消費者連盟スタッフとして活動の後、1985年独立。以来、消費・環境問題を中心に執筆、評論、講演活動を行う。主なテーマは「医・食・住」から文明批評にまで及ぶ。近代以降の約200年を「闇の勢力」が支配し石炭・石油・ウランなどで栄えた「火の文明」と定義し、人類の生き残りと共生のために新たな「緑の文明」の創造を訴え続けている。主な著作に『完全図解版牛乳のワナ』『新装版３日食べなきゃ、７割治る！』『NASAは“何か”を隠してる』『幽体離脱 量子論が“謎”を、とく！』（以上、ビジネス社）、『未来を救う「波動医学」』『コロナと5G』『コロナの、あとしまつ』（以上、共栄書房）、『病院に行かずに「治す」ガン療法』『原発マフィア』（以上、花伝社）、『クスリは飲んではいけない⁉』『ガン検診は受けてはいけない⁉』（以上、徳間書店）、『できる男は超少食』（主婦の友社）、『日本の真相！知らないと「殺される‼」』（成甲書房）、『世界をだました５人の学者』『めざめよ！』（以上、ヒカルランド）などベストセラー多数。

船瀬俊介 公式ＨＰ　http://funase.net/
無料メルマガ『ホットジャーナル』発信中！
https://www.pdfworld.co.jp/5963/mm_form.html

日本民族抹殺計画

2024年４月１日　第１刷発行
2024年５月１日　第２刷発行

著　者　船瀬 俊介
発行者　唐津 隆
発行所　株式会社ビジネス社
〒162-0805　東京都新宿区矢来町114番地 神楽坂高橋ビル5階
電話　03(5227)1602　FAX　03(5227)1603
https://www.business-sha.co.jp

〈装幀〉大谷昌稔
〈本文組版〉茂呂田剛（エムアンドケイ）
〈印刷・製本〉大日本印刷株式会社
〈営業担当〉山口健志
〈編集担当〉本田朋子

©Funase Shunsuke 2024 Printed in Japan
乱丁、落丁本はお取りかえします。
ISBN978-4-8284-2596-2

ビジネス社の本

【増補改訂版】ロックフェラーに学ぶ悪の不老長寿

船瀬俊介……著

定価1320円（税込）
ISBN978-4-8284-2295-4

医療マフィアはクスリを飲まない、ワクチンを打たない！

世界を支配する闇の勢力のウラをかけ！
ビーガン革命！
世界は菜食、ヨガ、ファスティングに向かう
超富豪、英国王室、
セレブが実践するホメオパシーとは!?

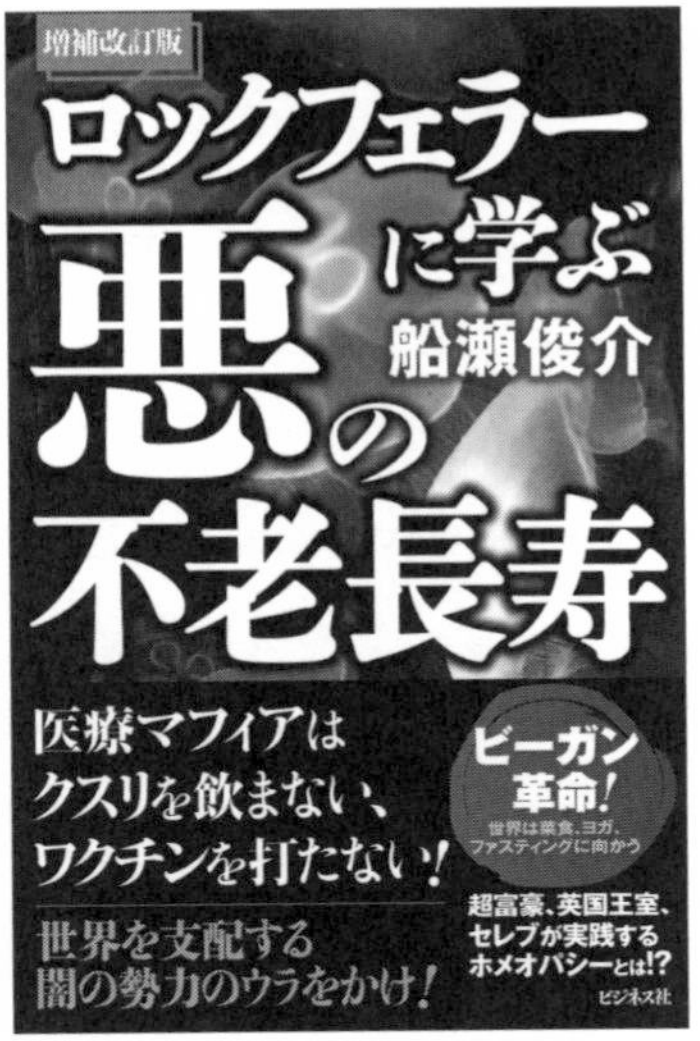

本書の内容

第1章　世界を支配してきた〝闇の勢力〟たち
第2章　近代栄養学はペテンであり、医学はサギである
第3章　医学界を完全支配！悪魔のロックフェラー
第4章　伝統医療はブッ潰せ！治すヤツは皆殺しだ！
第5章　ロックフェラーはクスリを飲まない、医者にかからない
第6章　ロックフェラーがかかるホメオパシーとは？
第7章　ビーガン革命！めざめた人が増えている

ビジネス社の本

NASAは〝何か〟を隠してる

UFO、天体、エイリアン……

宇宙は嘘に満ちている！

船瀬俊介……著

定価１７６０円（税込）
ISBN978-4-8284-2471-2

それでも、宇宙には〝何か〟がいる……！

空を見ろ！　そこに、すべての「答え」がある。

２０２２年、米議会下院で50年ぶりの「ＵＦＯに関する公聴会」が行われ、アメリカの国防には「対宇宙政策」が打ち出された。

「それは本物か？」の議論から「それは何か？」に進展しつつある。

もう「トンデモ」と目を瞑ってはいられない！

本書の内容

第１章　やはり、月には〝何か〟がいる
第２章　月は、巨大な「人工天体」ではないか？
第３章　宇宙は「嘘」に満ちている
第４章　火星は〝緑の惑星〟で古代文明が栄えていた
第５章　太陽に地球の一〇倍〝超巨大〟ＵＦＯが接近
第６章　人類を〝創造〟したのは宇宙人である
第７章　エイリアンの技術を独占してきた〝闇の力〟
第８章　空を見ろ！　宇宙古代史こそ真の科学だ

ビジネス社の本

NASAは〝何か〟を隠してるⅡ
幽体離脱
量子論が〝謎〟を、とく！

船瀬俊介……著

定価2090円（税込）
ISBN 978-4-8284-2555-9

「今まで黙っていたけど――」

続々飛び出す体験談や内部告発と最新科学から、幽体離脱や輪廻転生、宇宙の謎や宇宙人について、いよいよ明らかに！
UFO、星間移動、時空旅行の驚愕！

本書の内容
第1章 わたしも、あなたも……！あまりに多い「幽体離脱」体験
第2章 さらに驚く未知との遭遇！「UFOアブダクション」
第3章 〝悪魔勢力〟が人類を〝洗脳〟……近代200年の暗黒
第4章 宇宙すらも支配する〝闇勢力〟 消して、隠して、ねつ造する
第5章 「知の大崩壊」の後に開ける量子論、宇宙論、未来論
第6章 まずは「魂」を解明、それは〝磁気メモリー〟の旅か？
第7章 生まれ変わり「輪廻転生」の神秘が、ついに解明される
第8章 宇宙も、時間も、空間も、われわれの想像を超えている
第9章 「闇」の宇宙人〝レプテリアン〟と「光」の宇宙人たち
第10章 「悪魔」の支配は終わる 「希望」の未来が始まる